NOV
04

Pau Eric,

Ray

Amos Daragon,
la colère d'Enki

BRYAN PERRO

Amos Daragon, la colère d'Enki

LES 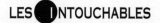NTOUCHABLES

Les Éditions des Intouchables bénéficient du soutien finan-
cier de la SODEC, du Programme de crédits d'impôt du
gouvernement du Québec, du PADIÉ et sont inscrites au
Programme de subvention globale du Conseil des Arts du
Canada.

LES ÉDITIONS DES INTOUCHABLES
1463, boulevard Saint-Joseph Est
Montréal, Québec
H2J 1M6
Téléphone: (514) 526-0770
Télécopieur: (514) 529-7780
info@lesintouchables.com
www.lesintouchables.com

DISTRIBUTION: PROLOGUE
1650, boulevard Lionel-Bertrand
Boisbriand, Québec
J7H 1N7
Téléphone: (450) 434-0306
Télécopieur: (450) 434-2627

Impression: Imprimeries Transcontinental
Infographie et maquette de la couverture: Benoît Desroches
Illustration de la couverture: Jacques Lamontagne

Dépôt légal: 2004
Bibliothèque nationale du Québec
Bibliothèque nationale du Canada

ISBN 2-89549-125-9

Prologue

Enki, grand dieu du panthéon sumérien, inspira un jour à son plus puissant prêtre la construction d'une tour touchant le ciel et les nuages. Cet édifice, nommé El-Bab, devait être une merveille du monde capable de rallier tous les peuples de la terre dans l'adoration d'une seule divinité, dans un culte unique louant la grandeur et la magnificence d'Enki.

Un titanesque chantier se mit en place et, pour l'exécution de cette tâche, des milliers d'hommes et de femmes furent réduits à l'esclavage. Commença alors la construction d'une tour si haute qu'elle défierait toutes les lois de la physique. Sans ménagement et sans logique, le grand prêtre Enmerkar et Aratta, roi du grand territoire de Dur-Sarrukin, conjuguèrent leurs pouvoirs pour la réalisation d'El-Bab.

Dans le panthéon des dieux sumériens, Enki fut sévèrement réprimandé et violemment critiqué pour avoir inspiré une telle vision à son prêtre. On l'accusa d'usurpation divine et on lui refusa le titre tant convoité de dieu unique. Une coalition se créa contre lui et la divinité narcissique fut exclue du panthéon.

Mais le mal était déjà fait et la tour d'El-Bab, bien qu'au quart seulement terminée, exerçait déjà un pouvoir si grand que les forces d'Enki égalaient maintenant celles de tous ses anciens amis réunis. En quittant le panthéon, le dieu déclara dans une rage non contenue :

— Je me vengerai de vous les uns après les autres en vous humiliant à la face des hommes. Je montrerai aux humains qui est l'unique dieu à adorer et ce qu'il en coûte de ne pas croire en moi. Vous ne pourrez rien contre ma colère et vos fidèles me supplieront d'arrêter les tourments.

Ce que les oracles, les augures, les auspices, les signes et les horoscopes avaient depuis longtemps prédit allait bientôt s'abattre sur ces grandes contrées désertiques et déstabiliser cette partie du monde. La colère du grand dieu serait porteuse d'un malheur si terrible qu'il serait baptisé, par ceux qui auraient la malchance de lui survivre, les dix plaies d'Enki.

1
La trahison
du grand prêtre

Un peu plus, de jour en jour, Enmerkar regardait avec fierté s'élever la grande tour d'El-Bab. Le premier étage du bâtiment servait de temple et était grand comme une vingtaine de palais impériaux. Des milliers de fidèles y priaient jour et nuit, se relayant sans cesse et produisant un flot continu comme celui d'une rivière. Des bûchers d'encens répandaient une forte odeur de myrrhe qui se dissipait en imprégnant les étages supérieurs. Près de quinze mille colonnes sculptées dans la pierre soutenaient cette gigantesque tour de trois cents étages. Pour atteindre le ciel et toucher les nuages, elle devrait en compter le quadruple.

Le grand prêtre, qu'on surnommait la Vipère à cause de son rire sifflant et de ses intentions toujours venimeuses, jouissait d'un pouvoir absolu sur le territoire d'El-Bab. Aratta, le régent des contrées de Dur-Sarrukin et du pays de Sumer, lui avait accordé carte blanche pour la réalisation de ce projet et consenti tous les droits, même celui de diriger une armée. Il était important pour le roi qu'Enmerkar puisse mater à sa guise une révolte d'esclaves ou encore défendre la tour en cas d'attaque ennemie.

Il était écrit sur le mur d'El-Bab, en lettres d'or de plusieurs mètres de hauteur, cette étrange énigme :

« Tu dois chevaucher et ne pas chevaucher, m'apporter un cadeau et ne pas l'apporter. Nous tous, petits et grands, nous sortirons pour t'accueillir, et il te faudra amener les gens à te recevoir et pourtant à ne pas te recevoir. »

Les fidèles, perplexes, s'inclinaient devant la phrase mystique et priaient avec ferveur. Cette parabole semblait investie d'un message lourd de sens. Seul Enmerkar connaissait son authentique signification et ressentait tout le poids dont elle était chargée. Enki, son dieu, la lui avait révélée dans un songe. La divinité lui avait bien précisé que celui ou celle qui serait capable de résoudre ce mystère devrait immédiatement être mis à mort, sans quoi l'effondrement d'El-Bab et la mort du prêtre seraient inévitables. Comme la meilleure défense est souvent l'attaque, Enmerkar avait fait inscrire la phrase sur toutes les épées des Sumériens, sur tous les casques de ses hommes, sur tous les parchemins importants, sur des milliers de colliers, de bijoux, d'objets précieux et dans tous les livres comptables des peuples esclavagistes alliés. Pour attraper un poisson, s'était-il dit, il faut semer des appâts et guetter avec patience. Le piège était tendu et le grand prêtre attendait son rival de pied ferme. D'ailleurs, Enmerkar n'attendait pas que lui.

Toujours en songe, Enki lui avait aussi promis une aide divine personnifiée par cinq frères, cinq bâtisseurs de haut calibre, capables à eux seuls de terminer la construction des étages supérieurs de la tour. Menés par leur père, ces quintuplés aux pouvoirs extraordinaires le serviraient avec dévotion jusqu'à l'accomplissement final d'El-Bab.

En cette journée pleine de promesses, de claquements de fouets et de dévotion envers son dieu, ce ne furent ni son rival ni ses constructeurs de génie qui vinrent déranger les prières d'Enmerkar, mais plutôt une horde de prêtres sumériens en furie.

Ils étaient près d'une centaine à hurler leur mécontentement dans le temple d'El-Bab.

Devant cette émeute, Enmerkar ordonna à ses soldats de vider le premier étage des fidèles en ne laissant que les prêtres contrariés à l'intérieur des murs. Il demanda que deux cents archers se tiennent prêts à intervenir à son signal.

Les tâches furent rapidement exécutées.

Enmerkar se présenta alors devant la horde fulminante de ses confrères en crise. Le menton levé et arborant un sourire arrogant, il leur demanda :

— Alors, que se passe-t-il encore, chers collègues du culte de Sumer ? Que me vaut cette si belle surprise ? C'est peu souvent que nous avons la chance de nous rencontrer tous !

— Tu sais très bien ce qui nous amène, répondit un vieux prêtre aveugle penché sur sa canne de bois noire. Le grand Nanna, dieu de la Lune et des Cycles temporels, m'informe qu'Enki tente d'usurper le pouvoir de tout le panthéon et cherche à devenir l'Unique…

— Allons donc ! ricana Enmerkar, cessez de vous en faire. Mon dieu ne veut qu'une seule place : la sienne !

— Cette tour doit tomber ! cria une prêtresse du culte d'Inna-na, divinité de l'Amour et de la Guerre. Tous les jours, El-Bab nous vole des fidèles et amplifie le pouvoir d'Enki sur le monde. Un unique dieu ne peut en remplacer plusieurs !

Des clameurs d'appui fusèrent de toutes parts. Les prêtres étaient chauffés à blanc et prêts à n'importe quoi pour regagner leur importance auprès de leurs fidèles. Enmerkar demanda le silence et enchaîna sur un ton paternel :

– Je vous comprends et... je me rends bien compte de mon erreur. Très bien, vous avez gagné ! Je ferai démolir cette tour... Je détruirai ce magnifique temple et je libérerai les esclaves ! C'est bien ce que vous désirez, non ? Je n'aime pas la discorde et je souhaite le bonheur de tous les prêtres et de tous les dieux du pays de Sumer. Je suis profondément désolé de vous avoir blessés.

– Non ! s'écria un prêtre du culte de Nusku, divinité du Feu. Ne détruis rien de cette magnifique œuvre ! Partageons-la donc simplement... Que les dieux soient tous représentés ici, entre les murs d'El-Bab, pour que les fidèles de cette partie du monde viennent leur rendre gloire.

– Quelle bonne idée ! ironisa Enmerkar. Je fais construire El-Bab pour le grand Enki et c'est le panthéon des petits dieux mineurs et des déesses insignifiantes que je récolte... En réalité, vous ne voulez pas que la tour tombe, vous désirez me la voler ! Vous n'êtes pas que des prêtres, vous êtes également des escrocs !

– Considère la proposition de partage avec attention, lança à son tour un prêtre de Nergal, dieu de la Mort. Il vaut mieux répartir ce que l'on possède que de le perdre tout à fait. Il y a beaucoup de place ici. Cette tour, même au quart terminée, est déjà assez grande pour y loger tous nos dieux et même ceux de nos alliés.

– ENCORE une bonne nouvelle ! se moqua Enmerkar. Voici qu'El-Bab pourrait accueillir les divinités de nos alliés ! Et quoi encore ? Faisons de cette tour un grand marché où les fidèles pourront choisir un dieu un jour et un autre dieu le lendemain ! Partageons-nous les prières… une pour toi… deux pour moi… celle-là sera pour Nergal… celle-là pour Inna-na…

– De toute façon, tu n'as pas le choix ! l'interrompit le prêtre aveugle. Nous sommes venus ici et nous comptons y rester. Tu devras nous accueillir chez toi, faire tomber cette tour ou partir. Il en a été décidé ainsi dans le panthéon sumérien. Les dieux se sont rassemblés et nous ont ordonné d'investir ton bâtiment pour en faire la grande maison de toutes les divinités ou… ou le réduire en poussière. Tu as devant toi les plus puissants prêtres du pays de Sumer et tu ne nous chasseras pas. Nous sommes en mission divine.

Enmerkar, serrant les dents de colère, eut un léger rictus. De sa main droite, il désigna l'inscription gravée en lettres d'or sur le mur de la tour et en fit la lecture :

— Tu dois chevaucher et ne pas chevaucher, m'apporter un cadeau et ne pas l'apporter. Nous tous, petits et grands, nous sortirons pour t'accueillir, et il te faudra amener les gens à te recevoir et pourtant à ne pas te recevoir.

Puis, il demanda insidieusement :

— Quelqu'un y comprend-il quelque chose ?

Les prêtres se regardèrent les uns les autres en haussant les épaules. Personne ne répondit à la question car aucun n'avait su déchiffrer cette énigme.

Sifflant entre ses dents, Enmerkar murmura :

— J'en déduis donc que vous ne représentez pas une véritable menace pour moi et El-Bab. Vous n'êtes qu'un simple embarras !

Il enchaîna tout de suite, d'un air faussement joyeux pour masquer le venin de ses paroles :

— Je vous annonce que, conformément à votre volonté, nous allons partager cette tour !

Un murmure de satisfaction s'éleva du groupe de prêtres. Enmerkar poursuivit sur le même ton :

— Vous êtes entrés au sein d'El-Bab avec la ferme intention de rester et vous… RESTEREZ !

Des applaudissements se firent entendre jusqu'à ce qu'Enmerkar fasse signe à ses archers de tirer sur le groupe. Pris par surprise, les prêtres n'eurent pas le temps d'invoquer leurs dieux ou de lancer des sorts. Des flèches volèrent de tous côtés en les touchant à la tête, au cou, au ventre ou dans le dos. Plusieurs blessés voulurent fuir et coururent vers la porte, mais cette première volée fut immédiatement suivie d'une seconde encore plus meurtrière. Les pointes des projectiles avaient été soigneusement empoisonnées et aucun fuyard ne survécut. Des cris déchirants emplirent le temple d'El-Bab pendant quelques minutes, puis... plus rien.

Enmerkar ordonna alors à ses hommes de couper la tête des prêtres et de les faire expédier à leurs communautés respectives. Des messagers se virent ensuite confier la tâche d'empaler les crânes sur des pieux et de les planter chacun en face de leur temple en y joignant un avertissement: «Voilà ce qu'il en coûte de nuire au grand Enki.»

Le grand prêtre exigea également qu'on informe la population du grand pays de Sumer et des contrées de Dur-Sarrukin qu'un manque de ferveur religieuse envers l'Unique entraînerait une grave punition. Ce châtiment divin, selon lui pleinement mérité, forcerait les païens à plier l'échine devant Enki et à implorer sa clémence.

Dans le temple d'El-Bab, on prépara un grand bûcher où plus tard furent brûlés les corps des prêtres décapités. Les portes de la tour furent rouvertes et des centaines de fidèles, pieds nus dans le sang et la cendre, aperçurent les restes calcinés des opposants au règne de l'Unique. Enmerkar s'avança devant le flot croissant de pèlerins ahuris et prêcha avec force et conviction:

– Le monde change, chers disciples. Les astres se bousculent et nous indiquent que les dieux nous ont trahis. Seul Enki l'Unique, notre Unique, pourra sauver vos âmes et vous assurer de sa divine lumière au moment de votre mort. Ces ossements de prêtres qui gisent au sol nous rappellent que les hommes sont faibles face à l'Unique et que nous devons nous soumettre à ses volontés. Enki parle en moi… Je suis sa voix et ses oreilles sur la Terre. Je suis votre protecteur et votre guide! N'ayez crainte, car celui qui louange Enki honore son prêtre et s'assure ainsi une vie longue et prospère. Gare à ceux qui vous disent le contraire, car ceux-là seront réduits en cendres et serviront d'exemples pour les autres… Il n'y a pas de salut hors du culte de l'Unique, il n'y a pas d'espoir pour ceux qui refusent d'accueillir Enki dans leur cœur! Priez afin que ceux qui cherchent trouvent le chemin. Priez afin qu'ils se tournent vers El-Bab avant qu'El-Bab ne leur tourne le dos!

Les disciples terrifiés se précipitèrent sur le prêtre afin de lui embrasser les pieds. Enmerkar, les voyant ainsi ramper comme des limaces, pensa: «Les humains sont à l'image des chiens. Sans cage, sans laisse et sans maître, ils ne sont rien!»

2
Barthélémy et Minho

Barthélémy, ce grand chevalier de la lumière, seigneur et maître de Bratel-la-Grande, homme d'aventures, de courage et d'orgueil, regarda Amos Daragon dans le fond des yeux et éclata en sanglots dans ses bras. Il pleura, pleura et pleura encore en se serrant contre lui. Des torrents de larmes coulèrent sur ses joues pendant que ses hommes, une dizaine en tout, essayaient de contenir leur émotion sans toutefois y parvenir.

Après un moment, Barthélémy relâcha son étreinte et, retrouvant un peu de sa dignité, raconta son histoire :

— Si tu savais, Amos, ce que ces horribles bonnets-rouges nous ont fait endurer ! Ce sont de véritables bêtes… Ils n'ont aucun respect pour la vie ni aucune forme de compassion.

Je suis… je suis si heureux d'être libre! Je me croyais condamné à cette vie de galérien jusqu'à ma mort… Ils nous ont détruits moralement, nous ont brisés dans l'âme. Ces chiens de gobelins avaient évacué de nos cœurs toute forme d'espoir! Ils nous ont torturés, affamés et assoiffés. Par pur plaisir et pour leur divertissement, ils ont tué de mes hommes, devant mes yeux, en les martyrisant longuement afin d'étirer leurs souffrances. Je te suis si reconnaissant de nous avoir sauvés que je… À vrai dire, je ne sais pas comment te remercier! Tu as sauvé Bratel-la-Grande et voici que tu me sauves, moi! Tu avais déjà gagné ma loyauté et mon épée, voici que je t'offre aujourd'hui mon âme et celle des chevaliers que tu as libérés en ce jour.

Amos, lui aussi submergé par l'émotion, prit quelques secondes avant de demander:

– Mais, Barthélémy, par quelle magie est-ce que je te retrouve ici à Arnakech, avec quelques chevaliers, prisonnier des bonnets-rouges et mis en vente sur la place publique comme esclave? La dernière fois que nous nous sommes vus, c'était à Bratel-la-Grande, au moment de ton couronnement comme seigneur de la capitale! Comment es-tu arrivé ici?

– Toi d'abord, fit le chevalier. Comment se fait-il que, TOI, tu sois ici, dans cette grande ville au bord de la mer Sombre et, de surcroît, dans un marché aux esclaves ? Ta surprise est peut-être grande, mais la mienne l'est encore davantage, crois-moi ! Et qu'est-ce que c'est que ces oreilles d'elfe ?

Depuis la libération de Bratel-la-Grande du sorcier Karmakas et de ses armées de gorgones, il s'en était passé des choses ! Il était impossible pour Amos de tout lui résumer en quelques minutes. Le garçon se contenta donc d'expliquer le but de son voyage vers la tour d'El-Bab ; le récit de ses aventures précédentes pouvait attendre un autre moment. Le porteur de masques raconta brièvement que sa mère, Frilla Daragon, avait elle aussi été faite prisonnière des bonnets-rouges puis amenée très loin, sur les terres de Sumer, pour y travailler comme esclave. Amos devait donc la secourir et l'affranchir de ses maîtres. Il précisa que c'était pour les besoins de son enquête que, déguisé en elfe, il avait pénétré dans le souk des esclavagistes d'Arnakech ; c'était donc tout à fait par hasard qu'il avait aperçu Barthélémy et ses hommes sur l'estrade principale, exposés aux regards de tous et prêts à être vendus au plus offrant. Amos lui avoua en riant avoir dépensé tout l'argent qui lui restait pour secourir les chevaliers et s'en porter acquéreur. Mais le temps n'était déjà plus au bavardage :

il fallait quitter sans tarder ce souk malfamé et poursuivre le voyage vers El-Bab.

– Voici pour vous! lança un gros gardien borgne et bedonnant à Amos en lui tendant un trousseau de clés. Vous avez là toutes les clés des nouvelles chaînes de vos esclaves. Nous leur avons lavé, brossé, rasé la barbe et les cheveux. Ils portent aussi des pagnes tout neufs. Partez maintenant, nous attendons l'arrivée d'un nouveau chargement, et je dois nettoyer la cage…

Un terrible cri se fit entendre depuis la prison du marché aux esclaves.

– Ta gueule, sale vache! hurla le gardien en direction du bâtiment.

– Qu'est-ce qui se passe? demanda Amos, surpris.

– C'est ce monstre de minotaure, là-bas, dans la cage fortifiée, qui gueule comme une SALE VACHE, répondit l'homme avec dédain. Les Sumériens doivent l'emmener aujourd'hui et j'espère qu'IL FINIRA EMBROCHÉ!

– Sortez mes esclaves sur la place du souk, ordonna Amos au gardien, je vais aller voir le minotaure quelques instants!

– Faites attention, l'avertit le gardien, il est fort comme une montagne et capable de vous broyer d'une seule main. Il a même assassiné ses anciens maîtres.

Amos, toujours déguisé en elfe, portait les oreilles en cristal de la fée Gwenfadrille du bois de Tarkasis. Ces oreilles magiques, en plus d'accorder le don des langues, avaient la particularité de se fondre sur celles de leur porteur en donnant l'impression d'être réelles. Il s'approcha du minotaure.

– Mes respects ! Tu te plains ? lui demanda Amos en utilisant automatiquement le langage de la bête.

– Mes respects, dit à son tour la gigantesque créature bâtie tout en muscles. Mes respects pour ma langue aussi ! J'implore ton aide.

– Et en quoi puis-je t'aider ? s'informa le porteur de masques.

– Libère-moi ! supplia l'humanoïde à tête de taureau. Libère-moi et je te sers, sans chaînes et sans mal, pour les douze prochaines lunes.

– Pour ton respect, j'accepte ! dit Amos en saisissant l'immense cadenas de la prison du minotaure.

Le garçon se concentra et, utilisant ses pouvoirs sur le feu, dirigea sa magie sur le mécanisme intérieur du cadenas. Il chauffa à blanc le dispositif en espérant que les engrenages intérieurs, trop fragiles pour supporter une chaleur aussi intense, allaient fondre.

Son intuition était bonne car, après quelques minutes de ce traitement, tout l'intérieur du boîtier se démantibula et libéra le pêne. Le minotaure était maintenant libre de s'enfuir.

– Sauf respect, dit Amos en laissant en place le cadenas, reste dans la cage le temps que je quitte l'endroit. Ensuite, viens au port. J'ai un bateau. Je vogue dans une heure. Mes respects.

– Mes respects à toi, répondit le minotaure, reconnaissant. Je fais ce que tu demandes. Je suis Minho.

– Mes respects, je suis Amos Daragon, conclut le garçon en s'éloignant.

Amos alla rejoindre Barthélémy sur la place, libéra tous les chevaliers de leurs chaînes et se dirigea rapidement vers le port. Il était encore très tôt et personne ne fut témoin de la scène. Le souk, très animé la nuit, ne se réveillait que très tard dans la matinée et demeurait désert jusqu'à midi.

– Tu te souviens de Béorf Bromanson? demanda Amos à Barthélémy en marchant d'un pas rapide.

– Oui, je crois me rappeler de lui... réfléchit le chevalier. Oui, bien sûr! Tu me l'avais présenté quelques jours après ma nomination comme seigneur de Bratel-la-Grande. T'accompagne-t-il toujours?

– Oui, et c'est maintenant beaucoup plus qu'un ami! s'exclama Amos. Il est devenu un vrai frère pour moi. Je te présenterai aussi

Lolya, c'est une fille fantastique! Puis Médousa, une gorgone qui…

– PARDON? Que dis-tu?

Barthélémy s'étouffa presque et s'arrêta net.

– Tu voyages avec une gorgone?

– Mais oui, lui confirma Amos le plus naturellement du monde. Ce n'est pas…

– Si je la vois, l'interrompit le chevalier, je lui arrache les yeux!

– Elle n'est pas comme les autres, s'empressa de dire Amos. Ce n'est pas une de ces horribles créatures que nous avons croisées ensemble à Bratel-la-Grande. Elle est douce, amicale, très intelligente, et son aide m'est précieuse.

– Mais tu divagues complètement, cher Amos! s'écria le chevalier en colère. Les gorgones se sont emparées de Bratel-la-Grande par la force… Elles nous ont transformés en pierre, ont humilié mes chevaliers, et maintenant tu voudrais que je devienne leur ami?

– Je ne veux pas que tu deviennes l'ami des gorgones, s'impatienta le porteur de masques. Je veux te faire rencontrer MON amie Médousa. Tu jugeras ensuite si elle mérite ton amitié!

– Me voilà sans armure et sans armes, se plaignit Barthélémy en reprenant sa marche. Je suis comme mes hommes, en pagne… presque nu! J'ai été réduit à l'esclavage par une bande de gobelins sauvages et voilà que je m'en vais fraterniser avec une gorgone. Je suis décidément tombé bien bas!

– J'ai un maître qui s'appelle Sartigan, enchaîna Amos. Comme ma mère, il est prisonnier des Sumériens. S'il était là, il te dirait certainement que chaque fois que nous faisons passer nos différences avant nos ressemblances, nous enclenchons un engrenage qui mène à la haine puis, inévitablement, à la guerre.

– D'ailleurs, lança le chevalier pour changer de sujet, qu'es-tu allé faire près de la cage du monstre à tête de vache tout à l'heure?

– Je l'ai libéré, avoua Amos. Il viendra nous rejoindre sur le bateau…

– QUOI?! s'étrangla Barthélémy. Mais tu es devenu complètement fou! C'est une bête dangereuse et stupide! Elle risque de nous tuer tous et de…

– Il ne fera rien de cela, le rassura Amos. J'ai confiance en lui!

– Tu as beaucoup changé, Amos, depuis notre première rencontre à Bratel-la-Grande, continua Barthélémy. Tu m'excuseras, mais je te trouve plus naïf qu'auparavant!

– Mais non, sourit Amos, j'ai davantage confiance en moi, c'est tout. Lorsqu'on doute de soi, on doute aussi des autres. Sartigan m'a appris à voir au-delà des apparences et à marcher la tête haute, sans haine et sans préjugé.

— Et voilà que je me fais faire la leçon par un enfant de douze ans ! se moqua le chevalier.

— Treize ! le reprit Amos. Et bientôt quatorze ans… Regarde là-bas : *La Mangouste*, notre bateau ! J'aperçois Béorf qui nous attend pour le départ.

C'est le guide des adolescents à Arnakech, Koutoubia Ben Guéliz, qui accueillit le premier les nouveaux arrivants. Il était excité, car Béorf venait à peine de lui confirmer qu'il pouvait les accompagner vers El-Bab. Le guide, fatigué de son travail au port et fasciné depuis longtemps par la vie d'aventurier, avait demandé une place au sein de l'équipage. Il avait fait valoir ses connaissances des peuples, des cultures et des coutumes des habitants de ce coin de pays. En outre, il connaissait bien les Sumériens ainsi que plusieurs routes menant à la grande tour. Béorf avait jugé sa présence indispensable et avait accepté sur-le-champ de l'inclure dans l'équipage.

Une fois sur le pont, Amos présenta ses amis aux chevaliers. Le premier contact fut très cordial, mais Barthélémy et ses hommes eurent un mouvement de recul lorsque Médousa s'avança vers eux. Instinctivement, ils se protégèrent les yeux avec leur avant-bras. Ils avaient tous déjà goûté au sort de pétrification des gorgones et, quoique polis, c'est avec méfiance qu'ils la saluèrent.

– Je crois bien que nous sommes prêts à partir ! lança Béorf en se dirigeant vers les amarres. Nous avons les provisions, deux dromadaires, un guide et des rameurs ! Et comme je suis certain de ne jamais manquer de vent, car c'est Amos qui s'en occupe, je suis un capitaine comblé !

– Attends encore un peu, lui demanda Amos. Nous aurons un autre passager.

– Ah bon ? Qui ? s'étonna Béorf.

– Tu te souviens du minotaure qui a été vendu aux Sumériens, hier, dans le souk des esclaves ?

– Oui, je me rappelle très bien de lui, répondit sans hésiter le gros garçon. C'était une vraie montagne de muscles.

– Eh bien, lança Amos, il part avec nous !

– Mais… mais… comment… tu l'as racheté à ses nouveaux maîtres ? questionna Béorf, stupéfait.

– Non, je l'ai simplement libéré, répondit le porteur de masques avec amusement. D'ailleurs, regarde là-bas, c'est lui qui arrive !

Au loin, un nuage de poussière s'élevait du centre-ville d'Arnakech et les échos d'une grande cohue commencèrent à envahir le port.

— Détache vite les amarres, Béorf, demanda subitement Amos, le colosse approche et il est sans doute poursuivi.

— Mais… mais…, balbutia le gros garçon, on l'attend ou pas?

— Disons que nous allons prendre un peu d'avance…

Juste comme *La Mangouste* quittait son quai en direction du large, l'équipage vit surgir le minotaure poursuivi par une vingtaine de Sumériens. La bête fonçait tête baissée, les cornes bien en avant, et renversait tout sur son passage. Aucun baril, aucune porte, aucun mur ni aucune arme ne semblait pouvoir l'arrêter. Minho, une bonne dizaine de flèches plantées dans son dos, continuait sa course en projetant dans les airs par d'habiles coups de tête tout ce qui se trouvait sur son chemin. Sa détermination semblait tout aussi inébranlable que son imposante stature.

Du coin de l'œil, Minho vit un bateau quitter le quai. D'instinct, il sut que c'était le sien et redoubla de vitesse pour l'atteindre. Ses grandes enjambées le propulsèrent rapidement vers *La Mangouste*, et ses poursuivants furent vite distancés. Quelques flèches volèrent dans le ciel, mais elles n'atteignirent pas la créature.

Amos fit alors se lever le vent, et la voile du drakkar se gonfla.

– On fait quoi maintenant ? demanda nerveusement Béorf qui était à la barre.

– Préparons-nous pour le choc ! lui répondit Amos en s'abritant près de la balustrade. Faites de la place pour l'atterrissage du minotaure !

Comme l'avait imaginé le porteur de masques, Minho accéléra sur le quai et fit un prodigieux bond dans les airs pour rejoindre le bateau. L'impulsion du minotaure fut si grande qu'il arracha une poutre de soutien du quai et provoqua son effondrement. Ensuite, l'humanoïde à tête de vache vola sur une bonne quinzaine de mètres avant d'atteindre le pont du drakkar. En se posant sur le bateau, Minho perdit l'équilibre, fit deux culbutes et vint percuter le mât de plein fouet. On entendit alors toute la structure du navire pousser un inquiétant grincement, mais rien d'important ne céda.

Minho se releva, s'ébroua, puis jeta un coup d'œil derrière lui. Des dizaines de Sumériens canardaient le drakkar de flèches. Elles furent toutes déviées par le vent magique du porteur de masques et aucune ne put atteindre l'équipage.

Satisfait, Minho retira un à un, en souriant, les projectiles plantés dans son dos. Avec l'aide d'Amos, la créature avait réussi son évasion et elle en était très fière. Plus personne ne le commanderait : il était un minotaure libre ! Enfin, presque libre, puisqu'il avait promis à Amos de le servir pendant les douze prochaines lunes. Mais cette fois, ce serait différent. Personne ne l'avait obligé à faire ce nouveau travail, il avait lui-même décidé de son destin. Minho avait été réduit à l'esclavage dès son plus jeune âge, mais plus jamais personne ne l'enfermerait dans une cage.

L'équipage regarda le nouvel arrivant avec circonspection. Les chevaliers étaient sur leur garde, Koutoubia Ben Guéliz tremblait dans un coin tandis que Lolya, Médousa et Béorf semblaient douter de l'honnêteté de ce nouveau passager. Amos, quant à lui, s'assura d'abord que ses oreilles de cristal étaient bien en place et s'avança vers le minotaure.

– Respect à toi, dit le garçon en souriant.

– Respect à toi, salua la bête en s'inclinant.

– Grand saut ! Bon atterrissage ! lança Amos à la blague.

– Grand Minho, grand saut, ajouta la créature, amusée. Mais toi, petit humain avec grande stratégie pour fuite de Minho. Respect à toi.

– Je présente à toi mes amis, enchaîna Amos en se tournant vers l'équipage. Koutoubia Ben Guéliz est guide, Barthélémy et ses humains sont chevaliers, Béorf est hommanimal et capitaine, Lolya est magicienne de la mort, Médousa est gorgone…

– Sauf respect, interrompit le minotaure, mais Minho n'aime pas les gorgones. Elles sont ennemies des hommes-taureaux. C'est ainsi depuis le début du monde.

– Sauf respect, continua amicalement Amos, mais elle est amie. Je te donne le choix de quitter si elle indispose. Minho est libre. Minho n'est pas mon esclave. Minho a le choix d'honorer ou non sa promesse.

– Sauf respect, mais Amos Daragon a confiance en elle? demanda l'humanoïde.

– Avec respect, continua le garçon, elle a toute ma confiance.

– Dans ce cas, conclut le minotaure, j'honore ma promesse.

Sans autre cérémonie, Minho caressa gentiment la tête des deux dromadaires qui se trouvaient tout près de lui et alla se coucher en boule à la proue du navire. Il s'endormit presque aussitôt.

Amos leva le bras au ciel et redoubla la force du vent dans la voile.

– Pourquoi fais-tu cela, Amos? demanda Béorf. Nous avons déjà une bonne vitesse…

– Je pense que les Sumériens se lanceront vite à notre poursuite, expliqua le porteur de masques. Ils ne sont pas du genre à abandonner leur prise. J'ai vu Lagash Our Nannou, le négociateur d'esclaves, parmi les poursuivants de Minho. Je crois que nous l'aurons bien vite dans les pattes.

– Alors, gonfle encore plus cette voile, Amos, et mets-y toute ta concentration ! lança le gros garçon en empoignant fermement la barre. Je n'ai pas envie de les voir nous chauffer le derrière !

À la demande d'Amos, les chevaliers se placèrent aux rames et *La Mangouste* fila rapidement sur les vagues de la mer Sombre, direction sud.

3
Le seigneur se raconte

La nuit était tombée sur la mer Sombre et Koutoubia Ben Guéliz regardait les étoiles pour s'orienter. Minho dormait toujours et les chevaliers se préparaient à faire de même. Lolya discutait à voix basse avec Médousa pendant que Béorf, toujours à la barre, bâillait à s'en décrocher la mâchoire. Le vent était presque tombé et *La Mangouste* berçait lentement l'équipage au rythme du lent mouvement des vagues. Sous la lumière blafarde d'une lu... bien ronde, l'ambiance chaude et humide d... nuit incitait à la discussion et aux confiden...

– Comme tu sais, Amos, lorsque tu as ... Bratel-la-Grande pour te rendre à Berri... Junos, lui rappela Barthélémy, j'ai pris... verne de la capitale et nous avons con... ... reconstruire la ville...

Penché sur la balustrade et le regard perdu dans l'horizon, Barthélémy poursuivit en racontant à Amos les péripéties qui les avaient conduits plus tard, lui et ses hommes, à Arnakech.

– Les gorgones avaient complètement détruit Bratel-la-Grande, dit-il, et les habitants se sont sérieusement retroussé les manches pour faire renaître la capitale de ses cendres. Junos nous a donné un fameux coup de main en nous envoyant des maîtres maçons, des ouvriers et, surtout, beaucoup d'argent nécessaire à la reconstruction. Ensuite, nous avons vite repris notre place dans le commerce de la région et rétabli nos liens avec les autres royaumes. Je serai éternellement reconnaissant à Junos de son aide et le lui dirais avec plaisir si... s'il était encore en vie...

– Détrompe-toi, Barthélémy, il est bien vivant ! lui affirma Amos. Je l'ai libéré des gobelins durant la guerre de Ramusberget. Berrion a été complètement détruite elle aussi, non pas par les gorgones, mais par les bonnets-rouges. 't la dernière fois que j'ai vu Junos, il retournait ns sa ville pour la reconstruire.

Ah, ça alors ! Bien ! s'exclama Barthélémy. en de bonnes nouvelles ! C'est justement secou auchant vers Berrion pour lui porter que je me suis fait avoir comme un gamin par les gobelins. Je t'expliquerai plus tard. Comme je te disais, nous avions commencé à reconstruire Bratel-la-Grande et notre souverain s'était même déplacé, quelques semaines après la libération, pour nous rendre visite…

– Je croyais que tu étais le seul maître à Bratel-la-Grande ? s'étonna Amos.

– Je le suis, mais nous faisons partie d'une fédération de royaumes qui dépasse largement le pays des chevaliers de la lumière, expliqua le seigneur. Bratel-la-Grande est une des capitales regroupées dans une union de quinze royaumes où les chevaliers sont maîtres. Tous les dix ans, nous procédons à l'élection d'un souverain provenant de l'un de ces royaumes. Cette structure politique permet de meilleurs échanges commerciaux et nous procure une excellente défense de notre territoire. Enfin… disons qu'elle n'a pas été fameuse contre les gorgones et les bonnets-rouges, mais nous devons nous réunir pour débattre du sujet.

– Et est-ce que d'autres royaumes sont tombés aux mains des gobelins ? demanda Amos, très intéressé.

– Non, répondit Barthélémy. Seule Berrion a été lourdement touchée. Les autres capitales ont bien résisté et les gobelins ont été vite repoussés vers le nord. Ces sales gobelins ! Lorsque

Berrion a été attaquée, des pigeons voyageurs nous ont avertis en portant des messages de détresse. Avec une vingtaine de mes hommes, je suis immédiatement parti en éclaireur, mais j'avais sous-estimé la puissance de nos ennemis. Nous avions une journée d'avance sur mes armées, elles aussi en marche vers Berrion, lorsque qu'un bataillon de bonnets-rouges nous est tombé dessus. Six chevaliers sont morts en combattant ces monstres et... et comme nous étions inférieurs en nombre, ils nous ont faits prisonniers. Ces têtes de linotte nous ont ensuite réduits en esclavage et nous avons dû les servir comme s'ils étaient des rois. Ils nous ont fouettés et torturés, humiliés et outragés ! Je jure que si je trouve le moyen de me venger de ces créatures et du sang impur qui coule dans leurs veines, je me... je jure... que...

Des larmes montèrent aux yeux de Barthélémy, mais il se racla la gorge pour éviter de pleurer. Après quelques secondes de silence, il continua :

– Si tu avais vu les horreurs dont ces monstres sont capables... c'est... c'est inimaginable. Enfin... je... je te remercie beaucoup de nous avoir sortis de là. Je t'en suis très reconnaissant.

– C'est tout à fait normal, Barthélémy, tu aurais fait la même chose pour moi.

– Oui, évidemment que je l'aurais fait, confirma le chevalier avant de poursuivre. Ces bonnets-rouges nous ont amenés à Arnakech pour nous vendre afin d'acquérir de meilleures armes. On dit que, malgré leur défaite dans les royaumes du Nord, ils sont encore nombreux et qu'ils n'attendent qu'un bon chef capable de regrouper leurs différents clans. Plusieurs prétendent que leur dragon n'est pas mort et qu'il respire encore dans la montagne du Nord. Il faut être complètement cinglé pour croire aux dragons !

Amos continua de se taire et choisit de ne pas parler de Maelström à Barthélémy. Malgré toute la confiance et l'amitié qu'il avait pour le seigneur de Bratel-la-Grande, le porteur de masques jugea que la sécurité du jeune dragon dépendait avant tout du secret de son existence. Il songea à l'œuf qu'il avait rapporté de la caverne de l'Ancien et à la petite créature qui prenait maintenant des forces dans la vieille forteresse souterraine de la colline d'Upsgran. Laissé aux bons soins de Geser Michson, le jeune dragon se développait dans la plus grande discrétion.

– J'espère retourner bientôt à Bratel-la-Grande ! soupira Barthélémy. J'ai tellement de choses à accomplir pour mes gens…

– Nous y retournerons sans tarder, lui assura Amos. Et Frilla, ma mère, et Sartigan, mon maître, nous accompagneront.

– Oui, tu as raison, il faut garder espoir! Bon, je vais remplacer Béorf à la barre, fit le chevalier pour conclure l'entretien. Nous avons planifié des tours de garde et c'est à moi de prendre le premier relais de nuit.

– Oui, je sais; et puisque moi, s'amusa le garçon, je ne suis pas de garde cette nuit, je dormirai pour deux!

Barthélémy sourit et alla relever l'hommanimal.

Amos demeura accoudé à la balustrade et regarda danser les vagues sous la lune. Il ne resta pas seul bien longtemps, car Lolya vint le rejoindre. Elle se plaça tout près de lui.

– Alors, comment ça va? lui demanda-t-elle.

– Très bien, répondit le garçon en lui donnant un petit coup d'épaule pour l'agacer.

– Hé! tu as envie de te battre? dit Lolya en lui rendant son coup.

– Pas avec toi en tout cas! Tu es bien trop forte pour mes petits pouvoirs...

– C'est vrai que tu es du genre faible! le taquina encore Lolya. Je pourrais même te briser les os d'une seule petite claque.

Amos se mit à rire un peu et les épaules

de Lolya commencèrent aussi à sauter. Puis les deux jeunes se regardèrent du coin de l'œil et s'esclaffèrent sans retenue. La fatigue de la journée avait fait son œuvre et, pendant un bon moment, ils s'amusèrent de bon cœur.

Lorsqu'ils eurent repris leur sérieux, Lolya s'éclaircit un peu la voix et dit :

– Tu sais, Amos, tout à l'heure je parlais avec Médousa et elle me conseillait de… comment te dire ? Elle me disait que… je devrais…

– Mais qu'essaies-tu donc de me dire ? l'interrompit Amos en souriant. Tu n'as pourtant pas l'habitude de tourner autour du pot. Je dirai même que, normalement, tu es plutôt directe ! Est-ce que quelque chose te gêne ?

– Oui, euh non… Bien, tu vois…, reprit Lolya, de plus en plus mal à l'aise. C'est assez difficile à dire et je crains que notre amitié en souffre. Alors, tu vois, lors de notre première rencontre à Berrion, alors que j'étais sous l'influence de la draconite, tu m'as sauvée et, depuis, je ne t'ai jamais vraiment remercié…

– Mais si, répliqua Amos. Même que tu m'as remercié plusieurs fois déjà.

– Non, ce n'est pas ça, le coupa Lolya. Comment te dire… Dès que tu as vu mon état, tu as tout de suite su ce qu'il fallait faire. Je me rappelle que tu as rapidement retiré la pierre de ma gorge, et c'est ainsi que j'ai su que j'étais sous l'emprise du baron Samedi! Tu ne crois pas que cette intuition que tu as eue veut dire quelque chose?

– Bien, puisque tu m'en parles, déclara Amos, il est vrai que je repense souvent à cette histoire. Justement, depuis l'aventure à Berrion, je fais des rêves étranges dans lesquels je mange une pomme d'or pour ensuite exploser dans une grande lumière. Dans ces mêmes rêves, il m'arrive aussi d'apercevoir un elfe à la peau noire et aux cheveux blancs, bien calé dans un fauteuil, et qui me tend la main. Finalement, je ne comprends toujours pas pourquoi, lors de ton arrivée, ce matin-là, j'avais les dents complètement noires.

– Tu ne penses pas que c'est un signe? questionna Lolya en replaçant nerveusement ses cheveux.

– Oui, oui, acquiesça Amos, songeur. C'est vrai, on dirait bien qu'il y a une foule de symboles dans ces rêves...

– D'accord, oui, mais bon... Ce n'est pas tout à fait ce que je voulais dire, bredouilla la jeune fille. Ce que je veux dire, c'est que je suis revenue vers toi à cause de certains rêves m'indiquant que je n'étais pas à ma place chez les Dogons, et aussi parce que j'ai vu ta mère dans une vision, et je suis revenue aussi pour… à cause de… parce que je suis… je suis…

– Oui ? Tu es… ? l'encouragea le garçon, de plus en plus intrigué.

– Oui, c'est ça… En fait, je suis… am… am… am... je suis am… amie avec toi, voilà ! Je suis amie avec toi ! finit par lui dire Lolya, incapable d'avouer son amour.

– Ah bon ! Mais moi aussi, je suis « ami avec toi », répondit Amos en lui faisant un clin d'œil. Écoute, je suis content que tu sois là. Je t'assure que ton amitié m'est très précieuse et que tu n'avais rien à craindre en me la déclarant.

Évidemment, Amos n'avait pas saisi son message, mais Lolya sourit quand même en se demandant pourquoi elle n'avait pas pu révéler son secret. Elle aurait voulu lui dire qu'elle était revenue de chez les Dogons parce que sa vie, loin de lui, semblait terne et inutile. Elle désirait qu'il sache l'importance qu'il avait pour elle et que, depuis leur toute première rencontre, son cœur ne battait plus que pour lui. La jeune nécromancienne avait bien essayé de cacher ses sentiments, mais Médousa s'était vite aperçue de son air béat. Lolya s'était finalement confiée à son amie qui lui avait conseillé de s'en ouvrir à Amos. La jeune Noire, pourtant capable de manipuler des guèdes, de communiquer avec les esprits et d'interroger des morts, n'avait pas réussi à affronter sa peur du ridicule et la crainte d'être humiliée en se déclarant.

Depuis qu'elle avait retrouvé Amos, Lolya était indisposée par son attirance envers le porteur de masques. Elle avait souvent mal à la tête, son cœur battait la chamade et elle avait régulièrement l'estomac retourné. Tantôt elle n'avait plus d'appétit, tantôt elle dévorait sa nourriture comme une ogresse. Outre son insomnie, ses rêves, quand elle arrivait à s'endormir, étaient souvent remplis de créatures terrifiantes et de monstres angoissants sortis des profondeurs de son esprit. Tout cela sans parler des crampes, des nausées et des étourdissements qui s'emparaient d'elle lorsque Amos la regardait ou, pire, lorsqu'il la frôlait.

Amos assaillait ses pensées de manière incontrôlable et, se sachant peut-être encore trop jeune pour plaire au porteur de masques autrement que comme une amie, la nécromancienne oscillait entre l'espoir que son amour soit réciproque et celui d'arriver à demeurer impassible. Sans compter que la crainte que son sentiment puisse choquer Amos la préoccupait beaucoup. Ses émotions la submergeaient totalement; à l'image d'une montagne russe, elle passait souvent de l'excitation à la déprime dans la même minute. Pour la jeune Noire, il était devenu très difficile de demeurer concentrée et d'exercer sa magie convenablement. Elle avait la tête ailleurs, et les esprits lui avaient momentanément tourné le dos.

– Bon, je vais dormir! décida Amos dans un bâillement. À demain, Lolya… et bonne nuit. Ah oui! Béorf a rangé les couvertures à l'arrière du bateau. Tu veux que je t'en sorte une?

– Oui, c'est gentil. Oh! et puis non! Laisse tomber, je vais le faire moi-même, répondit la jeune Noire, encore un peu troublée. Je vais aussi aller dormir bientôt… Je… je… reste ici encore un peu… Alors, c'est ça, à demain. Bonne nuit!

Dans la clarté de la lune, Lolya poussa un long soupir et regarda les vagues danser autour du drakkar. Elle avait raté une belle occasion!

4
Le voyage de Sartigan

Lors de son arrivée à Upsgran, alors qu'Amos était encore sur l'île de Freyja, Lolya avait confié aux habitants du village ses visions et ses rêves. La nécromancienne avait vu en songe la mère d'Amos lui confier qu'elle était prisonnière des Sumériens avec Sartigan, et qu'ensemble ils travaillaient comme esclaves à l'érection de la tour. En vérité, cette vision ne racontait pas vraiment l'histoire du maître et de son voyage vers El-Bab. Lolya avait imaginé quelques événements et reconstruit une histoire cohérente autour de son rêve.

Le jour où Amos avait quitté Upsgran pour l'île de Freyja, Sartigan avait empoigné son baluchon et avait longuement marché vers l'est. Le vieux maître avait dit à son élève qu'il avait ses propres projets à mener à bien de son côté. En réalité, le plan de Sartigan se résumait à retrouver la mère d'Amos, Frilla Daragon.

Dans toute sa sagesse, le vieux maître savait que ce que nous cherchons nous cherche aussi. Pour lui, cela signifiait simplement que son désir de retrouver Frilla le conduirait inévitablement à elle. Il n'avait qu'à se laisser porter par le courant des événements sans essayer d'en modifier le cours. Chacun de ses pas était animé par cette pensée et chaque nouvelle journée, empreinte de cette certitude.

Le vieillard marcha longtemps sans que rien ne vienne troubler le rythme de ses petites foulées. Il traversa plusieurs villages, parfois inhospitaliers, puis finit par s'enfoncer au cœur des contrées barbares. Jusque-là, il n'avait jamais eu à se cacher ni à fuir un danger quelconque ni même à éviter un obstacle. La tête haute et l'esprit alerte, il continua à avancer droit devant lui. Toutefois, il se hasarda un jour à traverser le centre d'un village d'esclavagistes. Dès qu'il y eut pénétré, Sartigan fut entouré de solides guerriers hostiles et armés auxquels il n'opposa aucune résistance. Le maître aurait facilement pu maîtriser ces hommes et, à lui seul, transformer cette agglomération rurale en cendres, mais lorsqu'on l'amena brutalement devant le chef du clan, il se contenta de sourire tranquillement.

Le maître du village, une brute aux yeux vitreux et à la physionomie arrogante, l'interrogea férocement sans qu'il puisse répondre à aucune de ses questions ; certes, le vieillard aurait aimé discuter avec le chef, mais il ne parlait pas sa langue. Il n'avait que quelques notions élémentaires en langue nordique et ne disposait donc pas des connaissances nécessaires pour déchiffrer le sens de ce patois barbare. Finalement, devant le mutisme de Sartigan, le chef perdit patience et ordonna qu'on lui coupe la tête.

Une autre grosse brute dégaina immédiatement son épée et s'élança en direction du vieillard. Le maître baissa légèrement la tête afin de parer le coup, saisit le poignet du colosse entre son pouce et son index et, d'un mouvement étonnamment agile, redirigea l'arme contre son assaillant. Le barbare se transperça lui-même le corps et s'écroula. Sartigan se contenta encore une fois de sourire et demeura immobile.

Hors de lui, le chef bondit de son siège et attrapa une gigantesque hache de guerre qu'un des malotrus lui tendait. Puis il chargea furieusement Sartigan. Le maître évita avec facilité son agresseur qui se retrouva face contre terre. L'orgueil en morceaux, celui-ci se remit sur ses pieds et s'élança de nouveau en hurlant toute sa rage. Cette fois, le vieillard réussit à l'esquiver en opérant un croc-en-jambe qui fit mordre la poussière au chef. À bout de nerfs, ce dernier répéta l'attaque et encaissa un nouvel échec ; il embrassa ainsi des dizaines de fois le sol avant d'ordonner à ses hommes de saisir Sartigan et de l'enfermer dans une cage. Cependant, personne n'osait plus approcher le vieillard et c'est de façon exagérément courtoise que les barbares indiquèrent au maître le chemin des cages d'esclaves. Sartigan se prêta au jeu et se laissa enfermer sans rechigner.

Après avoir fermé la cage à clé, le chef, épuisé par la bataille et encore à bout de souffle, ressentit un engourdissement dans son bras droit. Quelques heures plus tard, il était sur le dos, terrassé par une crise cardiaque. Il mourut dans la nuit.

Contre toute attente, c'est avec plaisir que Sartigan joignit la communauté des esclaves. Philosophe, le vieillard se disait que ses pas l'avaient sans doute conduit dans ce village pour une raison précise. Laquelle ? Il l'ignorait encore, mais le découvrirait bien tôt ou tard. En attendant que le destin se manifeste, le travail forcé serait une activité bénéfique pour son corps et son esprit. Contrairement aux autres prisonniers, le maître savait qu'il avait la capacité de fuir pour reprendre sa liberté s'il le désirait.

Il avait en lui la sagesse et la science qui ouvrent toutes les portes, y compris celles qui paraissent les plus hermétiquement verrouillées. Il restait emprisonné afin de mieux suivre la route le menant vers Frilla ; c'était pour lui une façon différente de poursuivre son chemin.

Au cours de son séjour chez eux, les barbares ne maltraitèrent pas Sartigan. Comme ils se méfiaient de lui, ils eurent tôt fait d'abandonner l'idée de le flageller et, du coup, commencèrent même à être moins brutaux avec les autres esclaves. La présence silencieuse du vieillard, son sourire et son air sereins eurent pour effet de réduire la tension entre les détenus et leurs geôliers. Malgré son haleine toujours aussi déplaisante, le vieillard devint un modèle et bientôt les esclaves commencèrent à imiter son attitude.

Chaque soir, après le dur labeur de la journée, plutôt que de se plaindre, de broyer du noir et d'imputer leurs misères aux dieux, les prisonniers commencèrent à suivre les enseignements du maître Sartigan et ils en vinrent bientôt à méditer dans le plus grand calme. Jambes croisées et le dos droit, tous assis au fond de leur prison individuelle, les femmes et les hommes comprenaient que la pensée agissait directement sur les sentiments. Avoir les idées claires leur permettait d'entrer en contact avec leurs émotions et de sublimer les douleurs causées par le travail forcé. Ils pouvaient faire courir leur esprit librement et visualiser un avenir meilleur. Sartigan leur disait que la méditation leur permettrait non seulement de mieux se connaître, mais également de mieux connaître ceux qui les entouraient. Au fil des soirées, il leur apprit ainsi à évacuer la haine accumulée et à vivre pleinement l'instant présent.

Puis vint le jour où Sartigan et tous les autres prisonniers furent embarqués dans une grande cage montée sur roues pour prendre la route d'Arnakech : les barbares avaient décidé qu'il était temps d'aller les vendre aux Sumériens. C'est pendant le trajet que Sartigan choisit de raconter, toujours dans une langue nordique approximative, quelques vieilles histoires de son enfance. Depuis toujours, ces contes et ces légendes servaient de base à son enseignement, et c'est avec passion que les prisonniers accueillirent ces nouvelles paroles du maître.

Sartigan raconta l'histoire d'un grand roi qui voulut un jour de belles baguettes, sculptées dans l'ivoire, pour manger son bol de riz. À la suite de cette demande et redoutant d'énormes problèmes, son ministre des Finances fut pris de panique et il interdit aux artisans du royaume de fabriquer ces précieux accessoires. Très mécontent, le souverain fit alors venir son ministre et le somma d'expliquer son insubordination. Par crainte de subir quelque sanction, l'homme demanda mille fois pardon, mais expliqua que c'était, selon lui, l'unique façon de sauver le royaume de la ruine :

– Grand Souverain, de belles baguettes sculptées dans l'ivoire ne conviendront sûrement pas à un vulgaire bol de bois ! Il vous faudra sans doute avoir un bol en or pour honorer vos baguettes, n'est-ce pas ?

– Effectivement, dit le grand roi, j'y avais pensé…

– Pourrez-vous ensuite prendre du plaisir à boire dans de simples verres ? lui demanda son conseiller. Vous savez bien que vous aurez besoin de verres en jade et de nouvelles assiettes richement décorées de pierres précieuses pour accompagner votre bol en or et vos baguettes d'ivoire. Ensuite, il ne sera certainement plus question de vous faire servir des mets ordinaires avec de si magnifiques couverts ! Oh que non ! Vous voudrez des plats exotiques et des viandes de choix. De fins bouillons agrémenteront vos repas et ceux de vos invités, car bien sûr vous voudrez exhiber la somptuosité et la valeur de votre table. Sans compter que tout ce faste exigera de vous que vous soyez habillé de soies fines et autres rares tissus. Vous souhaiterez également moderniser le palais, faire construire un étage additionnel pour vos réceptions mondaines et agrandir vos jardins. En un rien de temps, la richesse de vos coffres fondra et vous n'aurez d'autre choix que d'aller en guerre pour acquérir de nouvelles richesses et taxer les territoires nouvellement conquis. Pensez que vous vous ferez de nombreux ennemis qui tenteront de vous renverser. La tension vous fera perdre la raison et cela vous fera prendre UNE, oui, une seule mauvaise décision tactique et fatale! Vos armées seront vaincues et votre cousin, souverain du royaume voisin, mettra la main sur vos terres et détruira sans vergogne ce que vous avez mis des années à construire. Tout cela parce que vous aurez eu, un jour, l'envie de manger avec des baguettes en ivoire. Grand Souverain, pour votre bien-être et celui du royaume, je vous supplie de rester humble et de continuer à utiliser vos excellentes baguettes de bois.

– En effet, tu n'as pas tort. Je reconnais que tu es sage, cher ministre, répondit le roi. Merci de m'avoir prévenu d'une déchéance éventuelle qui aurait aussi entraîné celle de ma descendance. Tu seras récompensé pour ta loyauté.

La morale de l'histoire, termina Sartigan, est que l'avenir des peuples, les petits comme les grands, dépend des actions, même toutes petites, des dirigeants. Cette logique s'applique aussi aux individus. Il faut savoir interpréter les signes et prévoir l'évolution de la vie. D'ailleurs, leur avait-il promis, vous serez tous libres bien avant la fin de ce voyage.

Le maître avait remarqué que, depuis l'élection du nouveau chef, la tribu était divisée en deux clans. La tension était palpable et un renversement d'autorité, fort probable.

À l'exception du cheval qui tirait la cage des prisonniers, les barbares ne possédaient pas de chevaux et devaient accompagner les esclaves à pied à Arnakech. Sartigan faisait exprès de s'allonger dans la cage, de bâiller et de se prélasser pour bien montrer à tous la chance exceptionnelle qu'il avait de ne pas faire le trajet à pied. La frustration, mêlée à la fatigue du voyage, créa un climat très malsain chez les barbares et, après quelques semaines de route, la révolte éclata. Les sauvages esclavagistes s'entretuèrent et le clan des mécontents prit le pouvoir de force.

Aussitôt, le nouveau chef décida que les esclaves marcheraient et que les barbares feraient le voyage en se prélassant dans la cage. On libéra les prisonniers et, trop contents de leur succès, les geôliers s'installèrent dans le cachot en rigolant, en chantant et en dansant. Sartigan verrouilla alors la porte de la grande cage, ce qui eut naturellement pour effet d'emprisonner les barbares à l'intérieur. Au grand désespoir des anciens maîtres, la situation s'était en quelques secondes complètement renversée. Les esclaves maintenant libres remercièrent Sartigan et partirent chacun de leur côté. Le maître prit alors les rênes de la prison roulante et continua lentement le voyage vers Arnakech.

Une fois arrivé dans la grande ville au bord de la mer Sombre, le vieillard trouva sans peine le souk des esclaves et vendit à rabais les barbares aux Sumériens. Un dénommé Lagash Our Nannou acheta tout le lot. À force de signes, d'onomatopées et de borborygmes, le maître parvint à faire comprendre au négociant sumérien qu'il voulait l'accompagner dans son pays. Lagash en profita alors pour récupérer son argent en exigeant une forte somme pour le voyage. Content, Sartigan lui rendit le fruit de sa vente d'esclaves et embarqua sur le navire sumérien, en route vers El-Bab.

Après quelques semaines de voyage en mer et de très longues journées de dromadaire sous un soleil de plomb, Sartigan arriva enfin à la grande tour. Le vieil homme avait vu beaucoup de choses étranges et merveilleuses au cours de sa vie, mais jamais rien de tel. La construction était gigantesque et des milliers d'esclaves travaillaient d'arrache-pied, sous les fouets, à son érection. Des centaines de tailleurs de pierre s'activaient dans le bruit infernal de leurs outils, et des dizaines de maçons dirigeaient la préparation du mortier. Des chargements complets de gigantesques troncs d'arbres venant des grandes forêts du Nord étaient déversés toutes les heures au pied de la tour. Les fidèles, provenant de tous les coins du pays, convergeaient vers El-Bab pour prier avec ferveur le dieu des dieux, l'unique Enki. Comme dans une fourmilière, chaque individu avait sa fonction et occupait sa place dans la hiérarchie du chantier.

Tout près de Sartigan, dans le désert avoisinant la tour, quelques dizaines d'hommes et de femmes, d'humanoïdes et de créatures étranges avaient été enterrés vivants jusqu'au cou. Plusieurs d'entre eux étaient maintenant morts et de gros vautours leur dévoraient le visage. Ces esclaves avaient voulu s'évader et les Sumériens les châtiaient ainsi. Cette exposition permanente et macabre constituait une mesure de dissuasion pour décourager d'autres initiatives du même genre.

Sartigan remercia Lagash Our Nannou pour le voyage et disparut bien vite dans le flot de pèlerins qui convergeaient vers le temple. Le vieil homme commença alors à enquêter sur le chantier afin de retrouver la mère d'Amos.

Le maître dénicha une canne rudimentaire et se fit passer pour un fidèle d'Enki. Il se composa un personnage de vieux gâteux inoffensif, à moitié sourd et presque muet, mais sympathique et souriant. Ainsi, les gardes, les contremaîtres, les prêtres et même les gardiens d'esclaves le laissèrent se promener où bon lui semblait sans se préoccuper de lui. Après tout, personne ne pouvait se douter que ce vieux fou était en réalité un maître guerrier capable de contenir à lui seul un bataillon complet de Sumériens enragés. Avec sa longue barbe enroulée autour du cou, ses étranges vêtements de couleur orange et son haleine de cheval, il avait davantage l'allure d'un mendiant que d'un sage ou d'un tueur de dragons venu d'Orient.

Ce n'est qu'après plusieurs semaines de recherche que Sartigan trouva enfin Frilla Daragon. Elle n'avait plus que la peau sur les os et ses yeux, autrefois lumineux, avaient perdu l'éclat des jours heureux. Les Sumériens l'avaient affectée aux cuisines où des dizaines de femmes préparaient chaque jour une épaisse bouillie malodorante pour nourrir les esclaves.

Comme le vieil homme ne connaissait ni l'apparence ni la voix de Frilla Daragon, il avait opté pour une stratégie simple afin de la débusquer. Il se promenait à longueur de journée en répétant sans cesse :

– A… A… Amos Daragon… A… A… Amos Daragon…

De toute évidence, il allait un jour croiser Frilla sur son chemin et elle reconnaîtrait le nom de son fils. De plus, cette attitude lui donnait véritablement l'air d'un vieux sénile.

– Vous connaissez mon fils ? lui demanda un jour une femme qu'il voyait pour la première fois.

– Hummm, fit Sartigan. Toi, mère d'Amos Daragon, ça ?

– Oui, je suis sa mère ! confirma la femme. Où est-il ? Que fait-il ? Donnez-moi des nouvelles, je meurs d'inquiétude un peu plus chaque jour !

– Fils à vous, enchaîna Sartigan, très bien dans corps et esprit. Suis ami. Suis ici pour protéger vous, Frilla, Amos Daragon venir pour toi.

– Enfin des nouvelles ! s'écria la femme, soulagée. J'ai tellement pensé à lui…

– Lui aussi, continua le maître, avoir toi dans cœur et beaucoup inquiet. Maintenant, tout être bien.

– Et Béorf ? questionna encore Frilla.

– Béorf Bromanson, reprit Sartigan, bien mais trop gros. Besoin régime.

Frilla éclata alors d'un grand rire libérateur. Rien ne semblait avoir changé dans la vie des enfants. Ces bonnes nouvelles rallumèrent la vie dans ses yeux et remplirent son cœur d'espoir.

À ce moment, un gardien d'esclaves sumérien assena un coup de bâton dans le dos de Frilla en lui ordonnant de retourner immédiatement au travail. La femme tomba à genoux. Sartigan bondit à la vitesse de l'éclair sur le soldat, le désarma d'un seul doigt et lui cassa le cou d'une habile clé de bras. L'homme s'affaissa mollement sur le sol, mort.

— Mais qui êtes-vous? demanda Frilla en se relevant. Vous êtes beaucoup plus agile et beaucoup plus fort que vous ne le paraissez…

— Suis ami Amos… et… et… maître dans pour devenir homme contre tous, articula le vieil homme, un peu incertain de sa phrase.

— Je ne comprends rien de ce que vous dites, affirma la mère d'Amos, mais je suis très heureuse de vous voir. J'espère que nous deviendrons amis et que je pourrai vite vous apprendre à bien parler le nordique afin que vous me racontiez tout sur mon fils. Quand pensez-vous qu'Amos viendra?

— Lui encore loin, île de Freyja, tenta d'expliquer Sartigan. Loin sur mer… danger… mais va revenir… quelques mois.

— Très bien, lança Frilla en se remontant les manches. Nous sortirons bientôt d'ici. L'important, c'est d'entretenir l'espoir. Mon défunt mari, Urban, disait toujours que c'est l'espoir qui fait avancer dans la vie. Je retourne au travail avant qu'un autre gardien arrive. Vous restez dans le coin? Je vous reverrai bientôt?

– Moi reste, sourit Sartigan, œil sur toi! Toi avoir gardien à toi. Moi garde yeux ouverts sur toi. Toi, plus de problèmes… Oh non, plus jamais problèmes ici.

5
L'attaque
sur la mer Sombre

C'est un mugissement agressif qui réveilla l'équipage de *La Mangouste*. Minho hurlait en trépignant au centre du navire. Deux immenses bateaux sumériens, équipés d'un bélier à leur proue, fonçaient sur eux toutes rames dehors. Le chevalier qui devait assurer le tour de garde s'était endormi à la barre, et personne n'avait donné l'alerte avant que le minotaure ne s'aperçoive de l'imminence de la catastrophe. De toute évidence, ces deux géants flottants allaient couler le petit drakkar et personne ne pourrait s'en sortir vivant.

Tiré de son sommeil par les cris de l'homme-taureau, Amos comprit sur-le-champ l'urgence de la situation. Il se concentra afin d'utiliser son contrôle sur le vent et de déclencher une forte bourrasque qui serait capable de mettre le bateau hors de danger. En même temps que les grands vents se levèrent, Béorf sauta à la barre et essaya de diriger *La Mangouste* à tribord des navires sumériens. Malgré la rapidité d'action des deux garçons, ils échouèrent dans leur manœuvre de sauvetage. La magie du porteur de masques ne suffit pas à déplacer assez rapidement le drakkar et un premier bateau sumérien le percuta violemment.

Le bélier de l'adversaire défonça la balustrade de *La Mangouste* et Béorf fut projeté à l'eau. La poupe du drakkar, enfoncée par le navire ennemi, força également le reste de l'équipage à prendre un bain. Seul Minho, bien accroché au mât, demeura sur le pont. Terrifié, il assista alors à l'arrivée destructrice du deuxième navire qui, de son bélier, acheva de faire exploser *La Mangouste* en mille morceaux.

Sous les odieuses exclamations de joie des Sumériens, les deux bâtiments continuèrent leur chemin sans même porter secours aux naufragés. Amos, sonné mais la tête hors de l'eau, avait reconnu Lagash Our Nannou sur un des navires ennemis. En passant devant lui, le négociant d'esclaves, content de sa petite surprise matinale, avait salué le garçon avec une courtoisie ironique. Ils étaient à égalité maintenant! se disait-il. Soit! Amos lui avait pris son esclave minotaure mais lui, de son côté, venait de lui couler son drakkar. Les comptes étaient bons et, pour Lagash, justice était maintenant rendue. Les bateaux sumériens finirent par disparaître dans le petit matin en laissant derrière eux dix-huit candidats à la noyade.

En crachant un peu d'eau, Barthélémy dit à ses hommes de rassembler autant d'objets flottants qu'ils le pourraient. Des caisses, des barils, des planches de la coque, des morceaux du pont et même la figure de proue représentant une mangouste furent regroupés pour servir de radeaux de fortune. Quant à Minho, ne sachant pas nager, il demeurait agrippé au mât tandis que Koutoubia Ben Guéliz, qui nageait tout près de lui, répétait sans cesse:

– Je n'arrive pas à y croire… Je n'arrive pas à y croire… Je te jure… C'est incroyable!

Le jeune guide qui désirait vivre de palpitantes aventures était servi à souhait.

Parmi les débris, Lolya retrouva son sac à ingrédients qui avait été maintenu à la surface grâce à l'air contenu dans les flacons. Heureusement, ses grimoires étaient aussi sauvés!

Agrippé à la figure de proue de son drakkar, Béorf était découragé et terriblement triste. Il avait tout de suite aimé *La Mangouste* en la voyant pour la première fois dans le port du royaume d'Harald aux Dents bleues. Depuis, sa passion pour le bateau ne s'était qu'amplifiée. Son navire était maintenant en miettes, coulé au fond d'une mer lointaine et impossible à réparer. Une perte totale! C'était son premier drakkar, sa première passion de jeune capitaine, et l'hommanimal avait très envie de pleurer. Le chagrin causé par ce malheur le paralysait et l'empêchait de penser normalement. Béorf, généralement si fort et courageux, ressemblait maintenant à un petit enfant ayant cassé son jouet préféré.

– Que faisons-nous maintenant? demanda Barthélémy à Amos.

– Nous allons d'abord essayer de construire un radeau qui nous permettra de nous y reposer à tour de rôle, proposa le porteur de masques. Je crois que nous sommes condamnés à flotter un bon moment sur cette mer. On ne voit pas d'îles, et la côte est beaucoup trop éloignée pour tenter de l'atteindre à la nage.

– Oui, approuva Barthélémy, je suis d'accord avec toi. Il faut que nous soyons tous capables de dormir un peu. Il faudrait aussi penser à autre chose pour aider le minotaure à flotter. Regarde-le! À se débattre ainsi pour se maintenir à la surface, il perdra vite ses forces et il coulera à pic.

– Je m'en occupe, dit Amos en réagissant aussitôt. Je vais lui fabriquer un harnais avec les cordages qui flottent là-bas. En utilisant les deux barils que nous avons ici, Minho disposera de bons flotteurs propres à lui tenir la tête et les épaules hors de l'eau. Et puisque je suis le seul à le comprendre avec mes oreilles de cristal, je... AH! NOOON! mes oreilles! Je les avais mises dans mon sac et... et mon sac a coulé!

Amos regarda nerveusement autour de lui. Ses effets personnels avaient bel et bien sombré.

– Béorf! lança Amos. As-tu pu sauver tes oreilles de cristal?

– Je n'ai rien sauvé du tout, répondit le gros garçon, dépité. Je n'ai plus rien, Amos. Nous avons tout perdu, même les dromadaires ont coulé.

– Ah non! se découragea Amos. Que faire maintenant? Sans mes oreilles de cristal, je ne pourrai plus communiquer avec Minho et... et elles sont si importantes pour moi.

– Je voudrais t'aider, Amos, dit Lolya tout en nageant vers le garçon, mais je suis aussi dépassée par les événements. Nous sommes perdus en mer et j'ai beau chercher, je ne vois aucune solution à notre mauvaise posture. Ma magie est inutile dans une situation pareille.

– Oh! non... J'y pense, s'affola Amos une fois de plus, j'ai aussi perdu mon livre

Al-Qaatrum, les territoires de l'ombre! Il était là, dans mes affaires, juste à côté du boîtier rouge contenant mes oreilles de cristal.

– Ce qu'il vous faut, intervint à son tour Médousa en faisant quelques brasses vers ses amis, c'est une bonne copine capable de retenir très longtemps sa respiration! Par chance, vous l'avez devant vous.

– Que veux-tu dire? demanda Amos, le regard tout à coup rempli d'espoir.

– Je veux dire que je vais aller dans le fond de l'eau pour essayer de récupérer vos affaires, lui répondit-elle. Vous connaissez encore mal les gorgones, mes amis! Nous sommes aussi des êtres aquatiques avec d'étonnantes habiletés que vous ignorez toujours, semble-t-il. Auriez-vous déjà oublié que mes pieds sont palmés et que ce n'est pas uniquement pour faire joli?

– Mais… Médousa… c'est beaucoup, beaucoup trop profond, dit Amos, bouche bée.

– Dans l'eau, commença à expliquer Médousa, j'utilise mes ailes comme deux immenses nageoires pour me propulser. Je peux descendre sans problème et très rapidement dans les profondeurs de la mer. Alors, je plonge?

– Médousa, c'est dangereux, mais je suis sûr que tu peux y arriver! s'exclama Amos.

– Alors, à un peu plus tard ! fit la gorgone en piquant dans l'eau la tête la première.

– Surprenante ! Elle est surprenante ! lança Barthélémy en regardant Médousa disparaître sous l'eau.

– Oui, elle est formidable ! acquiesça le porteur de masques.

– Comment dire ? hésita le chevalier. Je n'aurais jamais pensé qu'une gorgone pouvait rendre service à quelqu'un. Il semble bien que j'aie connu cette race sous son plus mauvais jour et je…

– C'est que Médousa est bien spéciale, l'interrompit Lolya. Si on sait voir plus loin que sa peau verte et que les serpents sur sa tête, on découvre une gentille fille, sensible et très serviable.

Tandis que les discussions se poursuivaient à la surface, Médousa s'enfonçait de plus en plus dans la mer Sombre. Propulsée par ses ailes aquatiques, elle atteignit bientôt des profondeurs impossibles à supporter pour des humains. La nageuse libéra alors un peu d'air afin de rétablir la pression dans ses poumons, puis elle s'enfonça encore davantage. Quelques instants plus tard, elle retira ses lurinettes pour mieux percer l'obscurité toujours grandissante. Les yeux de Médousa pouvaient transformer les mortels en pierre, mais ils avaient également d'autres pouvoirs. Sous l'eau, ses pupilles se transformaient en deux boules jaunes bien rondes capables de voir dans le noir. La mutation s'opérait automatiquement dès qu'elle était soumise à une certaine pression d'eau.

Médousa n'était maintenant plus qu'à quelques mètres du fond. Balayant du regard les environs, elle aperçut les effets personnels d'Amos et de Béorf. De nombreux débris de *La Mangouste* jonchaient eux aussi le fond sablonneux. Il y avait autour d'elle plusieurs jarres encore remplies de nourriture ainsi qu'une grande quantité de toutes sortes de pièces de métal appartenant au drakkar. Sans plus s'attarder, la gorgone s'empara des sacs de ses amis puis, se préparant à remonter, elle aperçut un peu plus loin devant elle l'épave d'un énorme vaisseau de guerre. Puisqu'elle était encore en mesure de retenir son souffle, Médousa décida d'aller y jeter un coup d'œil.

En quelques battements d'ailes et de pieds, elle se trouva à proximité de l'épave. Visiblement, ce bateau était là depuis des siècles et, recouvert d'une quantité phénoménale d'algues, il se décomposait lentement. En y regardant de plus près, la gorgone s'aperçut que peu de poissons en avaient fait leur logis et seuls deux ou trois crustacés furent dérangés par sa présence. Médousa s'engagea dans une grande ouverture à la poupe du vaisseau et nagea à l'intérieur du bâtiment en ruine. Après réflexion, elle déduisit qu'un trou aussi béant n'avait pu être causé que par l'assaut d'un bélier, tout comme ce qui venait d'arriver à *La Mangouste*. Un peu partout, des épées et autres pièces d'armures rongées par la mer reposaient sur la coque en décomposition. Il y avait aussi de nombreux crânes de bovidés et une impressionnante quantité de coffres, de barils, de meubles et de… miroirs!

Des miroirs! En tremblant, Médousa recula lentement. C'en était fini pour la gorgone si elle avait le malheur de se regarder dans l'une de ces glaces! En rebroussant chemin, sa main attrapa par hasard un lourd objet circulaire de la taille d'une grande assiette. Sans même prendre le temps de regarder ce qu'elle tenait, la gorgone entreprit de remonter d'urgence à la surface. De toute façon, elle était allée au bout de ses réserves d'oxygène, et ses poumons avaient besoin d'une bonne bouffée d'air. L'excellente nageuse se propulsa donc vers la lumière.

À mi-chemin de sa remontée, Médousa remit en place ses lurinettes et émergea à l'air libre quelques instants plus tard pour s'emplir enfin les poumons.

— Tiens! Voilà tes affaires, Amos! lança-t-elle en lui présentant ce qu'elle avait rapporté. Regarde, j'ai aussi retrouvé le bagage de Béorf.

— Wow! s'exclama le porteur de masques. Moi qui croyais avoir perdu mon livre et mes oreilles pour de bon…

— J'ai aussi trouvé ça!

— Qu'est-ce que c'est? demanda Lolya, curieuse.

— C'était dans une vieille épave, expliqua la gorgone en exhibant l'étrange objet. Il y avait aussi une grande quantité de coffres, de barils, d'armes et d'armures rouillées et inutilisables. Je me disais qu'il fallait absolument que je replonge pour explorer davantage lorsque j'ai aperçu une quantité incroyable de miroirs!… Et pourquoi donc y en a-t-il tant? Probablement que c'était un navire marchand…

— Et parmi tous ces vestiges, y avait-il aussi par hasard quelques crânes de vaches, de bœufs ou de taureaux? questionna Amos en prenant le curieux objet des mains de Médousa.

— Mais… mais… Comment as-tu deviné cela? dit Médousa, interloquée. Oui, il y avait des dizaines de crânes!…

— Comme ça, une simple intuition, marmonna Amos, songeur.

L'objet que le porteur de masques tenait entre ses mains ressemblait à un disque rond sur lequel étaient inscrits quelques symboles runiques. En son centre, il y avait une très grosse pierre précieuse rose très pâle et taillée en pointe. De toute évidence, ce disque était conçu pour couronner un bâton de prêtre. En frottant vigoureusement le tour de la pierre, Amos fit apparaître de petites inscriptions calligraphiées qui semblaient raconter l'évolution de la race des minotaures.

– Tu permets que je le garde un peu avec moi? demanda-t-il à Médousa.

– Le temps que tu voudras, répondit la gorgone. Je sais qu'il est entre bonnes mains! Par contre, ne l'échappe pas… Je n'ai pas du tout envie de replonger vers cet effrayant bateau rempli de miroirs.

– Je le place en sécurité dans cette petite futaille vide, dit le porteur de masques. Comme c'est un bon flotteur…

C'est alors que Barthélémy, qui nageait vers Amos, l'interpella:

– Le radeau est terminé! Koutoubia est déjà dessus et il semble solide. Il pourra recevoir la moitié d'entre nous à la fois. Comme tu l'as dit, je propose que nous y allions par groupes, en rotation.

– Oui, approuva Amos, je crois que c'est la meilleure solution.

Puis, le garçon se tourna vers la gorgone:

– Peux-tu encore nous aider, Médousa?

– Avec plaisir, répondit fièrement la jeune fille, contente de pouvoir être utile à ses amis.

– Comme tu es bonne nageuse, j'aimerais beaucoup que tu partes en exploration pour voir s'il n'y aurait pas une île, un récif ou encore un bateau qui voguerait dans les environs. Il faut trouver une solution pour nous sortir d'ici. Nous ne tiendrons pas une semaine sur ce radeau de fortune.

– Très bien! lança Médousa, décidée à les sauver tous. Je te promets de trouver de l'aide, Amos.

D'un habile battement de jambes, la gorgone quitta ses amis et disparut sous l'eau.

6
Les dix plaies d'Enki

Enmerkar, le grand prêtre de la tour d'El-Bab, était plongé dans ses oraisons. Il était prosterné au centre d'un triangle imaginaire délimité par trois grandes statues, chacune représentant l'un des trois visages mythiques d'Enki, soit un scarabée sacré recouvert d'or, symbole de la renaissance du dieu, une vipère des déserts en jade et à la tête pointue évoquant la mort des infidèles et, enfin, une vache taillée dans le marbre blanc rappelant l'abondance éternelle promise aux croyants.

Donc, dans son lieu de culte privé du septième niveau de la tour, le grand prêtre priait déjà depuis plusieurs longues heures. Cette grande salle dédiée à Enki constituait également son quartier général. C'est là, après avoir longuement invoqué son dieu, qu'il prenait toutes les décisions relatives à l'avenir de son culte. Mais aujourd'hui, le prêtre était particulièrement fatigué et il sommeillait en récitant ses prières.

C'est à ce moment-là, alors qu'il se trouvait entre le rêve et la réalité, qu'il vit la tête de la vipère de jade bouger. Un pied dans la conscience et l'autre dans l'onirisme, Enmerkar remarqua que le scarabée d'or commençait aussi à s'agiter : il remuait les pattes et les ailes de façon frénétique ! Puis, à son tour, la vache mythique s'anima et se détacha brusquement de son socle avant d'entreprendre une course endiablée tout autour de lui. L'animal de marbre, défiant la loi de la gravité, galopait sur les parois du mur circulaire de l'immense pièce. Quoique ce fût la première fois que les statues prenaient vie, le grand prêtre Enmerkar ne s'étonna pas le moins du monde. Il sentit son âme envahie par la force du dieu Enki qui s'adressa à lui par la bouche de la vipère :

– Je dois punir ceux et celles qui ont douté de moi. Je dois châtier les hommes et les femmes infidèles. Je serai bientôt l'Unique et, pour montrer ma force, j'humilierai les autres dieux qui s'opposeront à mon ascension. Je les obligerai à se fondre en moi, à fusionner leurs essences avec la mienne. Écoute ce que j'ai à dire, grand prêtre, car seule El-Bab sera épargnée par ma colère.

Enmerkar était prêt à entendre les révélations de son dieu. Il se prosterna et déclara à mi-voix :

– L'heure de ta venue est bien choisie, ô grand dieu ! Le monde est déchiré par des conflits entre le spirituel et le matériel. Sur ce champ de bataille, nous vivons de grandes tensions et de terribles difficultés. Nous avons besoin d'amour et de dévotion, de compréhension et de prières. L'occasion de te recevoir en nos cœurs et en nos âmes se présente maintenant à nous afin que tu sauves les hommes de leurs tendances à la bassesse et à la destruction. Tu n'as qu'à ordonner et nous boirons tes paroles comme de l'eau, nous t'obéirons jusqu'au sacrifice de nos vies.

Satisfait de la dévotion de son grand prêtre, Enki enchaîna :

– Écoute-moi bien, Enmerkar. J'enverrai sur terre dix plaies en dix jours. Dix malédictions qui détruiront tout le pays de Sumer et les grandes contrées de Dur-Sarrukin. Je reconstruirai mon culte sur de nouvelles bases et éliminerai ceux qui sont fidèles aux autres dieux du panthéon sumérien. Envoie un messager au roi Aratta et préviens-le que, s'il désire survivre à ma colère, il pourra venir avec ses gens s'abriter ici, à l'ombre d'El-Bab. Que le roi Aratta vide sa capitale ; qu'il ordonne aux habitants de son pays de quitter leur demeure, car ceux qui me braveront connaîtront la mort dans de terribles souffrances.

Toujours en signe de soumission, le grand prêtre leva les bras au ciel avant de se prosterner de nouveau. Enki poursuivit alors sa harangue :

– Qu'il soit dit qu'Enki, l'Unique, maître des dieux et des hommes, transformera en sang toutes les eaux de cette partie du monde. Des grandes rivières aux petits ruisseaux, des sources souterraines et jusqu'à la grande mer Sombre, chaque puits, chaque fontaine et chaque jarre ne donnera plus que du sang à boire. Pendant ces dix jours, tous les poissons, crustacés et autres créatures marines mourront, car toute vie sous l'eau sera anéantie. Seule la fontaine d'El-Bab pourra rafraîchir ceux et celles qui se seront joints à moi. Contrairement aux autres êtres vivants, les hommes ont la conscience d'être limités, mais ils sont en même temps ouverts à l'infini. C'est grâce à ce besoin d'absolu que j'étancherai aussi la soif de leur âme.

Qu'il soit dit qu'Enki, l'Unique, maître des dieux et des hommes, fera au deuxième jour sortir de ces eaux corrompues des millions de batraciens affamés. Ces grenouilles, symboles de fécondité et de résurrection, s'attaqueront aux insectes afin de les éliminer tous. Je discréditerai alors les dieux et déesses des mondes entomologiques et les forcerai à s'unir avec moi. Les fidèles qui prieront en ce jour funeste à l'intérieur de la grande tour ne verront rien de cette invasion et seront protégés par ma force et ma volonté.

Enmerkar, toujours dans une demiconscience, s'emballa et hurla toute son adoration à la gloire de son dieu. Ce témoignage de dévotion fit redoubler d'ardeur le dieu et c'est à travers le corps de jade de la vipère qu'il s'exprima le plus intensément :

– Qu'il soit dit qu'Enki, l'Unique, maître des dieux et des hommes, transformera, le troisième jour, chaque grain de poussière du désert en un insecte vorace. Des nuages de diptères à longues antennes, assoiffés du sang des infidèles, envahiront les villes et les villages, obligeant ainsi les femmes et les hommes à s'agenouiller et à me prier pour survivre. Seuls seront épargnés ceux et celles qui marcheront vers El-Bab le cœur rempli de dévotion envers moi.

Qu'il soit dit qu'Enki, l'Unique, maître des dieux et des hommes, fera surgir au quatrième jour de sa colère des essaims de taons, de guêpes et d'abeilles sur tout le pays. Ils envahiront

les maisons et les palais, les grottes et les sou-
terrains, et châtieront ceux qui résisteront à ma
volonté. Les insoumis seront piqués à mort et
connaîtront une interminable et douloureuse
agonie.

Qu'il soit dit qu'Enki, l'Unique, maître
des dieux et des hommes, au cinquième jour
provoquera le déferlement de milliards de
mouches qui répandront la maladie dans tout
le pays. Elles transporteront sous leurs ailes la
peste noire et d'autres infections contagieuses
et mortelles. Les dieux guérisseurs ne pourront en rien aider les populations, et eux aussi
seront obligés de s'unir à moi. Aucune médi-
cation ni aucun traitement ne pourra venir à
bout de cette pandémie. Tout le bétail mourra
et les infidèles trouveront leurs vaches, leurs
moutons, poules et cochons, chiens et chats
couverts de furoncles purulents et de plaies
béantes. Aucun de ces animaux, sauvages
ou domestiques, ne survivra à cette journée
funeste. Je répète que seuls les croyants ayant
rejoint la tour d'El-Bab et vu la lumière en
moi seront immunisés et leurs troupeaux,
sauvés. Tout homme n'ayant pas la foi en moi,
Enki, connaîtra le même sort que ses bêtes et
pourrira sur place.

De plus en plus envoûté par les paroles
apocalyptiques de son dieu, Enmerkar pria

avec encore plus de ferveur en marmonnant des louanges à la divinité. Sang, insectes et cadavres, tout se mêlait en lui dans une vision horrible de l'avenir. La douleur exquise que provoquaient ces révélations dans l'âme du prêtre était si vive qu'il exhalait des gémissements, et la suavité de cette merveilleuse souffrance était si excessive qu'il ne pouvait désirer qu'elle s'apaise.

La statue révéla alors la sixième plaie :

– Qu'il soit dit qu'Enki, l'Unique, maître des dieux et des hommes, fera, au sixième jour de sa divine colère, tomber la grêle du ciel. Les nuages se cristalliseront dans les cieux et viendront se briser au-dessus du sol. Sous la force de cette pluie de glace, les villes et les villages seront anéantis. Tous les temples des autres divinités sumériennes s'écrouleront et les palais des rois dissidents seront réduits en poussière. Rien ne tiendra plus debout, pas même les murs des forteresses soi-disant imprenables qui s'effondreront comme des châteaux de sable. Seule la tour d'El-Bab résistera et protégera ceux qui auront foi en moi.

Qu'il soit dit qu'Enki, l'Unique, maître des dieux et des hommes, humiliera les dieux des Récoltes en détruisant les champs, les jardins, les potagers, en plus de toute la flore s'épanouissant sur les terres de Sumer et dans les contrées de Dur-Sarrukin. Au lendemain de la grêle du sixième jour, ce seront des saute-relles qui tomberont du ciel et dévoreront la végétation. En ce septième jour, aucune fleur ni aucun arbre ne résistera. Du moindre brin d'herbe au plus beau dattier, tout sera dévoré, digéré et recraché en matière stérile. Seuls le blé et la végétation entourant la grande tour auront la chance de croître et d'offrir leurs fruits aux fidèles.

Devant Enmerkar, la prophétie de la colère d'Enki commença alors à s'inscrire en lettres de feu sur trois dalles qui venaient d'apparaître; taillées à même le sol de pierre, elles se déta-chèrent pour s'élever dans les airs et tourner autour de la pièce. Pendant que chacune des lettres s'inscrivait dans le roc, la voix du dieu Enki continuait son discours:

– Qu'il soit dit qu'Enki, l'Unique, maître des dieux et des hommes, cachera le soleil et fera tomber la nuit. Ce huitième jour sera celui des ténèbres. Je soutirerai du cœur des hommes l'espoir et la confiance. Plongés dans l'obscurité, nourris par le doute et l'incer-titude, ceux qui ne me voyaient pas encore apercevront la lumière de la tour d'El-Bab et se mettront en route vers elle. Tel un phare qui les guide, l'illumination les mènera vers moi et ils seront prêts à m'accueillir dans leur cœur.

Qu'il soit dit qu'Enki, l'Unique, maître des dieux et des hommes, fera mourir les premiers-nés de tous les rois de la Terre. Aussi loin que mon pouvoir puisse s'étendre, les enfants de nos ennemis mourront en laissant les trônes sans héritiers. Cette malédiction entraînera l'instabilité dans les royaumes environnants, et les armées d'Enki pourront plus facilement les conquérir. J'étendrai ainsi mon pouvoir sur le monde pour ensuite, petit à petit, renverser les dieux des autres panthéons et devenir, pour toutes les créatures de l'univers, l'unique lumière des cieux. Je remplacerai la Dame blanche.

Qu'il soit dit qu'Enki, l'Unique, maître des dieux et des hommes, enverra la dixième et dernière plaie contre celui qui pourrait trouver la réponse à cette énigme : « Tu dois chevaucher et ne pas chevaucher, m'apporter un cadeau et ne pas l'apporter. Nous tous, petits et grands, nous sortirons pour t'accueillir, et il te faudra amener les gens à te recevoir et pourtant à ne pas te recevoir. » Car il est dit que celui qui saura l'interpréter provoquera la ruine d'El-Bab et malheureusement la fin de l'Unique. L'élu serait alors expédié aux enfers.

Comme il venait de prononcer son dernier mot, Enki disparut et tout redevint normal dans le lieu de culte.

Après plusieurs minutes de silence, Enmerkar se réveilla en sursaut. Son cœur battait à tout rompre et ses mains étaient moites. Il suait à grosses gouttes en essayant de rassembler ses idées.

« Quel rêve je viens de faire ! » pensa-t-il en essuyant la sueur sur son front.

Mais ce n'était pas un rêve. Le prêtre s'aperçut qu'il avait maintenant sous les yeux trois tables de pierre présentant chacune trois inscriptions. Les caractères encore fumants lui prouvèrent alors qu'il n'avait pas fait un cauchemar.

La première dalle contenait ces inscriptions : l'eau en sang – les grenouilles – les insectes. Sur la deuxième, on pouvait lire : les taons – l'épidémie – la grêle. Et sur la dernière étaient gravés ces mots : les sauterelles – les ténèbres – la mort des premiers-nés.

Enmerkar remarqua que la dernière prophétie, celle qui annonçait la chute de l'élu éventuel, n'apparaissait pas sur les tables de pierre. Était-ce parce qu'elle ne concernait que le dieu ? L'avenir allait bientôt le révéler.

7
Les origines de Médousa

La gorgone nagea longuement sans trouver quoi que ce soit qui pourrait venir en aide à ses amis naufragés. Elle avait beau scruter l'horizon, il n'y avait pas d'îles, pas de récifs ni même aucun bateau aux alentours. De cette mer, très profonde et sablonneuse, n'émergeait non plus aucun plateau rocheux ni aucun haut-fond propice au repos.

Découragée, Médousa regarda encore et encore autour d'elle sans rien voir d'autre que de l'eau à perte de vue. Comment allait-elle secourir ses amis? Elle avait promis à Amos de trouver un moyen de les tirer de là et il lui faisait confiance. Il était donc hors de question qu'elle rejoigne le radeau les mains vides, sans solution. Le porteur de masques avait des pouvoirs exceptionnels, Béorf était un courageux combattant, et Lolya une nécromancienne capable de régler par sa magie presque toutes les situations désespérées. Pour sa part, Médousa sentait qu'elle avait peu contribué à l'essor du groupe jusqu'à maintenant. C'est vrai qu'à cause de son apparence extraordinaire, il lui était plus difficile d'acquérir la confiance des gens et de s'imposer, mais à présent, c'était l'occasion ou jamais d'intervenir! C'était SA chance de démontrer sa juste valeur!

Tandis que la gorgone, de plus en plus anxieuse, réfléchissait à un ou deux plans de sauvetage, de petites bulles commencèrent à se former autour d'elle et, bientôt, c'est un véritable bouillonnement qui l'encercla. Puis, une dizaine de têtes, dont la chevelure remuait comme de petits serpents, émergèrent lentement à la surface. C'était... c'était des gorgones!

Surprise, Médousa remarqua tout de même que ces femmes avaient une belle peau lisse et légèrement bleutée. Leurs cheveux-serpents étaient blonds comme les siens et, malgré l'évidence de leur âge adulte, aucune horrible dent de sanglier ne leur sortait de la bouche. En fait, elles étaient de très jolies femmes qui souriaient gentiment. L'une d'elles la salua:

– Bonjour, petite sœur, serais-tu égarée?

– Euh… euh… non, en fait oui, mais… je… balbutia Médousa émerveillée par la vue de ses semblables.

– Si tu n'as pas perdu ton chemin, c'est que tu es confuse alors ! lança à la blague une autre gorgone.

– Pardonnez ma drôle de réaction, se reprit Médousa. C'est la première fois de ma vie que je rencontre mes semblables, et c'est aussi la première fois que j'entends ce magnifique dialecte. Bien sûr, vous parlez comme des gorgones, mais… mais en même temps, c'est si différent… c'est tellement plus doux, plus gracieux… c'est tellement beau !

Dans l'eau, les femmes rirent de leur petite voix cristalline. On aurait dit le son d'une pluie fine sur un lac calme.

– Pourtant, c'est aussi ton langage ! lui fit remarquer une autre d'entre elles.

– Je suis si contente que vous m'ayez trouvée, déclara Médousa qui retrouvait un peu de courage. Avec vous, j'ai la forte impression d'être ici chez moi. C'est tellement bizarre, c'est une drôle de sensation de calme et de bonheur. C'est la première fois que je ressens ça à ce point…

– Hum… fit une des gorgones. Je vois d'après ton allure que tu es originaire de la mer Sombre, comme nous. Tu n'as pourtant pas été élevée ici, n'est-ce pas ?

– En effet, j'ai grandi avec d'horribles gorgones vertes, avoua Médousa. Elles étaient laides et méchantes, incapables de tendresse ni de la moindre gentillesse. J'étais toujours seule dans mon coin, dressée par un sorcier que j'appelais «père». J'ai vécu ainsi jusqu'à mon arrivée à Bratel-la-Grande où un formidable garçon m'a montré la force de l'amitié.

– Oui, voilà. Il existe plusieurs races de gorgones, expliqua la plus jolie du groupe. Celles qui vivent sur terre, dans les contrées désertiques, sont d'affreuses femmes qui s'amusent à faire la guerre et à détruire la vie autour d'elles.

– Mais pourtant, moi, je suis physiquement comme elles et non pas comme vous! Je suis de leur race, j'ai la peau verte, regardez! s'exclama Médousa qui n'y comprenait rien.

– Faux, répondit son interlocutrice. Elle est bleue, ta peau...

Incrédule, la jeune gorgone regarda ses bras, puis ses mains. Elle s'aperçut qu'elle avait effectivement la peau bleutée.

– Mais que m'arrive-t-il? Je ne comprends pas! s'écria Médousa, un peu sonnée. Vraiment, je ne comprends pas...

– Laisse-moi finir et tu auras ta réponse, petite sœur. Lorsque les êtres de notre race sont exposés longuement à l'air, leur peau se déshydrate et prend une couleur verte. Mais plongée quelques heures dans l'eau salée, elle reprend progressivement sa couleur originale. Il en est ainsi pour toutes les créatures de notre espèce. Maintenant, laisse-moi tenter d'expliquer ce qui t'est peut-être arrivé. Je pense savoir pourquoi tu as grandi avec les gorgones de terre et non pas avec nous, ici, dans la mer Sombre. Non, attends. Avant, viens plutôt avec moi, j'ai quelque chose à te montrer.

Médousa, ayant toujours en tête ses amis naufragés, se dépêcha de suivre les gorgones qui plongèrent toutes en s'amusant. Elles nagèrent ensemble sous l'eau puis descendirent et descendirent toujours plus profondément jusqu'à ce qu'elles atteignent… une ville… une ville sous-marine !

Comme Médousa s'en approchait, elle vit des dizaines de gorgones qui nageaient gracieusement aux abords de cette étonnante cité faite d'épaves. Une multitude de coques de navires abandonnés s'emboîtaient les unes dans les autres pour former les habitations. À un endroit, de grands voiliers à trois mâts côtoyaient d'anciennes embarcations de pêche dans de savants assemblages aux allures fabuleuses. On pouvait facilement reconnaître quelques vaisseaux sumériens, quelques anciens modèles de drakkars et plusieurs voiliers de commerce du style de ceux que l'on construisait à Arnakech. Accrochés aux maisons, des voiles et des drapeaux de toutes les nations se balançaient au gré des courants marins. Un peu plus près d'elle, Médousa remarqua que tous les navires, du simple rafiot au plus gros bâtiment, avaient été récupérés et assemblés, ce qui donnait cet impressionnant enchevêtrement de coques, de morceaux de bois ou de fer recouverts d'algues. Depuis des milliers d'années, les gorgones travaillaient à ériger leur cité. Elles y avaient cultivé des jardins d'anémones et de luxuriantes plantations d'étoiles et de concombres de mer. On y trouvait aussi plusieurs élevages de crabes et de crustacés divers, des bancs de poissons gardés comme des troupeaux de moutons et d'innombrables cultures d'algues, d'éponges et de coraux. Il y avait aussi un bon nombre de statues représentant des guerriers minotaures, des humains et des humanoïdes dans diverses positions d'attaque ou de défense, et tous avaient une expression de terreur sur le visage. Ces ennemis de jadis pétrifiés servaient désormais d'ornements à la ville.

Le petit groupe de gorgones pénétra dans la ville et nagea vers le quartier Est. On trouvait dans cette partie de la cité de plus petites embarcations. Après avoir bifurqué trois ou quatre fois entre quelques ruines aménagées, la bande d'amies passa par l'écoutille d'un bateau de pêche renversé pour arriver dans une charmante demeure! À son grand soulagement, Médousa put enfin respirer lorsqu'elles sortirent de l'eau. Excepté Médousa qui préféra rester debout, elles s'assirent un peu partout dans l'unique pièce de l'habitation.

— Tu te demandes sûrement pourquoi il y a de l'air ici, sous des tonnes et des tonnes d'eau? demanda une gorgone.

— Oui, justement, cela m'intriguait, répondit Médousa. En tout cas, cela fait du bien. Je n'ai pas l'habitude de retenir mon souffle aussi longtemps et j'avais hâte de respirer un bon coup.

— Tu verras, c'est très ingénieux. Toute la cité est construite sur un courant d'air qui provient d'une faille souterraine et c'est une énorme grotte, sous la mer, qui libère sans cesse de l'oxygène. Nos ancêtres ont trouvé une façon de récupérer cet air et de le faire circuler dans toutes les épaves. Par contre, ne me demande pas comment tout cela fonctionne! Bon, voilà… Ici, tu es chez moi. Je me nomme Doriusa. Nous t'avons amenée ici pour que tu voies notre cité, c'est ce que nous voulions te montrer! Pas mal, n'est-ce pas?

Médousa, encore grandement impressionnée par tout cela, acquiesça de la tête. Cependant, son esprit était trop occupé par ses amis restés à la surface pour véritablement apprécier cette visite.

— Je vais chercher à manger! dit soudainement une autre gorgone en se jetant à l'eau par l'écoutille.

— Aimes-tu les crustacés? demanda Doriusa à son invitée.

— Je ne sais pas. En général, je mange des insectes! répondit Médousa.

— Ouache! Quelle horreur! s'écrièrent les gorgones en chœur.

— Un vrai régime terrestre! se moqua Doriusa. Ici, nous ne mangeons que de la nourriture de première qualité. Notre régime est à base de produits de la mer que nous cultivons nous-mêmes. Assieds-toi et repose-toi… Tu peux considérer ma maison comme la tienne!

Médousa prit place sur un gros coussin fabriqué à partir d'une voile de bateau.

— Ce que je t'expliquais tout à l'heure, à la surface, enchaîna Doriusa, c'est qu'il existe plusieurs races de gorgones; mais la légende dit que nous sommes toutes issues de la même mère, la belle Méduse. Et je suppose que je ne t'apprends rien en disant qu'une nouvelle gorgone naît chaque fois que nous perdons un cheveu-serpent?

— Oui, en effet, je le savais, confirma Médousa, attentive aux paroles de Doriusa.

– Dans notre communauté, continua Doriusa, nous prenons ces jeunes serpents et les plaçons dans un grand incubateur. Ensuite, nous supervisons toutes les étapes de leur croissance jusqu'à ce qu'ils deviennent de belles gorgones comme nous !

– Donc, comme je vous ressemble autant, j'en déduis que je suis originaire de votre ville ! s'exclama Médousa. Au fond de moi, je savais bien que je n'étais pas comme ces horribles gorgones terrestres. Ce qui voudrait dire que je ne me transformerai pas en monstre à mes dix-neuf ans et demi ?

– Non, tu demeureras telle que tu es, la rassura Doriusa. Cette mutation ne s'applique qu'aux gorgones terrestres. Tu es une gorgone de la mer Sombre et aucune d'entre nous ne se transforme, ni de la tête ni du visage !

– Mais tout cela n'explique pas pourquoi je me suis retrouvée sur terre !

– Alors voilà. Il y a plusieurs années, expliqua Doriusa, un tremblement de terre causé par la faille souterraine a détruit notre incubateur et des dizaines de jeunes gorgones, encore à l'état de serpent, furent perdues dans la mer. Tu dois être une de celles-là !

– Ce qui expliquerait bien des choses… ajouta Médousa. Ensuite, je me serais échouée sur une plage, et c'est le sorcier Karmakas qui m'a alors récupérée, éduquée et forcée à joindre son armée de gorgones. Les autres ne m'ont jamais dit que je n'étais pas de la même race qu'elles! Elles m'ont fait des misères et m'ont humiliée parce que j'étais différente! En fait, elles étaient peut-être jalouses…

– Dans la vie, lança Doriusa, il faut savoir qui l'on est et d'où l'on vient, mais surtout, il faut avoir le ventre plein! Mangeons! Le repas arrive…

L'instant d'après, c'est les bras chargés de vivres qu'une de la bande rentra par l'écoutille. Toutes se lancèrent tête première dans la nourriture.

Tout en croquant à pleines dents dans les crustacés, les fruits de mer et les anémones, Médousa raconta à ses nouvelles amies sa rencontre avec Béorf à Bratel-la-Grande. Elle parla aussi d'Amos et de sa formidable mission de porteur de masques, elle fit l'éloge de Lolya et de sa magie, et relata l'aventure qui l'avait menée là, sur la mer Sombre. Elle raconta l'histoire de ses lurinettes et finit même par leur confier la passion secrète de la nécromancienne pour Amos. Doriusa, séduite par le récit de Médousa, posa beaucoup de questions. Les habitantes de la cité sous-marine n'étaient jamais allées bien loin, et le monde extérieur les passionnait.

– Et ce Béorf, intervint une des gorgones, compte-t-il beaucoup pour toi?

– Oui, je l'aime beaucoup, souffla Médousa en rougissant. C'est grâce à lui si je suis toujours en vie. C'est un ami bon et fidèle qui n'hésitera jamais à mettre son existence en jeu pour aider les autres. À force de le côtoyer, j'apprends beaucoup sur la noblesse des sentiments. D'ailleurs, je voudrais tant lui venir en aide présentement, mais j'ignore comment…

– Explique-nous, Médousa, dit Doriusa. Nous pouvons peut-être faire quelque chose?

– Notre drakkar a été coulé par les Sumériens et mes amis sont naufragés sur un radeau de fortune, expliqua Médousa. Comme je suis bonne nageuse, ils m'ont envoyée en éclaireur pour trouver une île, un récif, un bateau… Enfin, n'importe quoi qui puisse leur venir en aide et les sortir du pétrin! Je vous ai bien trouvées, mais cela n'aide en rien leur condition. Je ne sais pas quoi faire et la situation me désespère. Amos, Lolya et Béorf arrivent toujours à trouver une solution à tout, alors que moi…

– Ne t'inquiète pas, petite sœur, la rassura Doriusa, nous allons te venir en aide. Tes amis m'ont l'air de compter beaucoup pour toi. Je dois avouer que je suis un peu jalouse… Les gorgones ne réussissent jamais à se faire aimer des autres races, et nous devons toujours vivre cachées, dans les montagnes ou sous la mer. Mais toi, tu as réussi là où nous avons toutes échoué ! Tu as réussi à te faire aimer et respecter de deux humains et d'un hommanimal. Pour cela, tu mérites notre aide !

– Tu as un plan ? questionna Médousa, excitée.

– Un plan très simple, continua la gorgone. Tu nous as dit que tes amis flottaient sur un radeau ? C'est bien cela ?

– Oui, c'est bien cela.

– Alors, nous allons le tirer jusqu'à la côte ! Si nous halons toutes ensemble, je pense que nous arriverons à la plage du Sud en moins de deux jours. Si vous êtes d'accord, les amies, nous avons une grande aventure à vivre ! Faisons des provisions pour nous et pour les naufragés.

La petite bande poussa un cri de ralliement et s'activa en vue du sauvetage. Médousa poussa un cri de joie. Elle avait réussi sa mission.

***

Sur le radeau, Amos et Lolya attendaient le retour de la gorgone. Béorf, remis de la perte de son drakkar, s'inquiétait pour Médousa :

— Vous auriez dû me demander mon avis avant de la laisser partir ! reprocha le gros garçon à ses deux amis. Elle est toute petite et la mer est si grande… Je suis certain qu'il lui est arrivé malheur !

— Calme-toi, Béorf ! le gronda Lolya. Médousa est aussi mon amie et je crois en elle. Je sais que nous n'avons pas de nouvelles depuis presque une journée, mais ce n'est pas une raison pour désespérer. Si un malheur lui était arrivé, je suis certaine que je l'aurais senti…

— Facile à dire, répondit l'hommanimal, rongé par l'inquiétude. Elle doit être perdue en mer ! Je la trouve parfois imprudente, mais surtout, elle est inexpérimentée ! Si c'était Amos qui était parti chercher de l'aide, je dormirais sur mes deux oreilles. Amos Daragon arrive toujours à bout de tout, mais Médousa…

— Merci bien, Béorf, répondit Amos un peu surpris. Alors, tu ne t'inquiètes jamais pour moi ?

— Oui, mais là, ce n'est pas la même chose ! s'impatienta Béorf. Médousa est… elle est fragile…

Une voix familière se fit alors entendre :

— Ah, comme ça, je suis fragile ! rigola la gorgone, bien accoudée au radeau.

— Ouf, elle est de retour ! soupira le gros garçon, soulagé. Je vais enfin pouvoir être tranquille.

– Tu es là depuis longtemps? demanda Lolya, très contente de revoir son amie.

– Assez longtemps pour voir que Béorf était trop inquiet, et que toi et Amos ne l'étiez pas assez!

– Et à te voir aussi radieuse, ajouta le porteur de masques, je suis certain que tu nous arrives avec une solution! Mais… mais… Tu as changé de couleur? Tu es bleue maintenant!

– Voilà autre chose! s'écria Béorf. Rien de grave, j'espère?

– Non, je vous expliquerai plus tard. Pour l'instant, prenez ces cordes et faites en sorte que tout le monde s'entasse sur le radeau. Je vous propose une petite balade vers la côte!

Barthélémy hurla soudain:

– Des gorgones! Là, juste là, sous l'eau! Nous sommes entourés de gorgones! Ton amie nous a trahis, Amos! Nous sommes attaqués!

– Mais NON! répliqua Médousa, impatientée. Je ne vous ai pas trahis! Ce sont des amies et si elles n'émergent pas, c'est justement pour ne pas menacer votre vie et risquer de vous transformer en pierre. Elles ont des vivres à vous offrir, mais… si vous préférez, je peux leur dire de partir. Vous pourrez sans doute vous débrouiller seul, Monsieur le grand chevalier méfiant!

Barthélémy se renfrogna et, sans s'excuser, enchaîna ironiquement :

– Il faut avertir, ma petite, quand tu amènes tes copines. Nous, les chevaliers, sommes plus habitués à vous trancher la tête qu'à vous faire confiance !

– Si je me rappelle bien, rétorqua Médousa, vous étiez pétrifiés bien avant d'avoir tranché une seule tête, à Bratel-la-Grande ! Est-ce que je me trompe ?

Le chevalier devint rouge de rage et ravala amèrement sa colère.

Les minotaures et les gorgones ne faisaient pas non plus très bon ménage. Cette soudaine apparition aquatique avait complètement paniqué l'homme-taureau. Minho était particulièrement agité, et Amos dut lui adresser quelques mots dans sa langue pour le calmer.

Malgré de lourdes tensions interraciales, les gorgones et les chevaliers réussirent à travailler de concert. De solides cordes furent attachées au radeau, et la bande de Doriusa commença à tirer les naufragés vers la côte Sud. Médousa était en tête des nageuses, fière et contente d'avoir pu aider ses amis.

8
L'eau en sang

Le naufrage était maintenant derrière Amos et ses compagnons, bien loin derrière eux.

Koutoubia Ben Guéliz guidait le groupe depuis bientôt trois semaines sur les terres semi-arides du sud de la mer Sombre. Béorf avait eu une bonne intuition en acceptant de l'inclure dans le voyage. Si le guide ne connaissait pas par cœur toutes les routes menant vers El-Bab, il parlait la langue du pays et savait interpréter avec justesse les indications que lui donnaient les passants. Chaque soir, il trouvait pour le groupe un lieu de repos où des fruits poussaient en quantité et où l'eau s'avérait potable.

À l'exception de Minho qui se tenait à l'écart, les aventuriers voyageaient tous ensemble. À cause de son apparence extraordinaire qui aurait risqué d'effrayer les habitants, la créature ne s'approchait pas des villages et suivait donc le groupe à distance. C'est Koutoubia qui, connaissant bien les légendes du pays qui décrivaient les hommes-taureaux comme des bêtes sanguinaires, avait proposé cette façon de voyager. Le gros minotaure avait bien compris la situation et ne s'était pas formalisé d'être exclu du groupe.

De son côté, Médousa devait faire attention de bien cacher ses cheveux : les gorgones n'avaient pas meilleure réputation que les minotaures dans ce pays.

— Bon, voilà, expliqua Koutoubia au groupe. Nous arrivons ici à une croisée des chemins. Nous avons le choix : si nous partons vers la gauche, dans quelques jours nous serons dans la très grande cité du roi Aratta. J'ai des amis là-bas qui pourront nous aider, c'est-à-dire qu'ils nous trouveront des dromadaires et de la nourriture pour la suite du voyage. Il sera aussi possible d'habiter chez eux afin de bien nous reposer. Par contre, Minho devra nous attendre, caché dans les montagnes environnantes.

— Et si nous choisissons de prendre le chemin de droite ? demanda Amos.

— Eh bien, la route de droite nous conduit en plein cœur du pays de Sumer. Nous quittons les contrées de Dur-Sarrukin et nous nous dirigerons en droite ligne vers El-Bab. Dans une dizaine de jours, nous devrions être près de la grande tour. La route suit cette rivière et…

À ce moment, un groupe d'une cinquantaine de pèlerins dépassa Amos et ses amis pour emprunter la route de droite vers El-Bab. Ils étaient tous vêtus de blanc et hurlaient des prières à tue-tête. Ces hommes et ces femmes semblaient pressés d'arriver à destination et marchaient d'un bon pas.

– Mais qu'est-ce qu'ils racontent ? demanda Amos à Koutoubia. Et que font-ils ? Nous avons déjà vu des dizaines de groupes comme celui-ci depuis notre départ de la mer Sombre.

– Ils hurlent qu'ils se dirigent vers El-Bab pour sauver leur âme, traduisit Koutoubia. J'ai rarement vu une telle ferveur religieuse chez les Sumériens ! Leurs prières rendent gloire au grand Enki qu'ils appellent « le sauveur des hommes ». Ils disent, ou plutôt ils crient, que la fin du monde approche et que le salut repose dans l'Unique. Le dernier attroupement nous invitait à les suivre.

– Ils ont raison, intervint Lolya. Moi aussi, je ressens des choses… comment dire… un grand désordre surviendra bientôt, et la vie de milliers de gens est menacée. J'aimerais vous en dire davantage, mais mes sentiments sont un peu perturbés depuis quelque temps…

— Y a-t-il quelque chose que nous puissions faire pour t'aider? lui demanda Béorf, un peu inquiet.

— Non, vraiment rien. Je sais ce qui m'arrive, répondit timidement la jeune Noire. Pour en revenir à mes intuitions, ce qui arrivera est de l'ordre des dieux et non des hommes. Je sens la venue de grands bouleversements.

— Bon, alors… réfléchit Amos, j'aurais été tenté de me reposer un peu dans la grande cité du roi Aratta, mais avec ce que Lolya vient de pressentir, j'hésite… Je pense que nous devons continuer vers El-Bab afin d'y arriver le plus vite possible. Tous les problèmes de ce pays semblent venir de cette tour, et nous ferions bien de ne pas tarder à nous y rendre.

— Mais pour y faire quoi? s'insurgea Barthélémy. Pour la faire tomber, peut-être? Oh non! je ne suis pas d'accord. Mes hommes ont besoin de repos et cette pause nous fera du bien. J'opte pour la direction de la ville!

Un court silence tomba sur le groupe.

— Qu'en penses-tu, Béorf? La tour ou la ville? demanda Amos à tout hasard.

— Moi, j'irai là où tu iras! affirma sans hésitation son meilleur ami.

— Nous te suivrons aussi, appuyèrent en chœur Lolya et Médousa.

– Ta décision sera la nôtre, ajouta la jeune Noire.

– Moi, se prononça à son tour Koutoubia, je suis aussi du côté d'Amos et j'opte pour le chemin de droite s'il désire s'y aventurer. Barthélémy, je peux vous indiquer l'endroit où habitent mes amis. Vous n'aurez qu'à leur dire que vous venez de ma part et ils seront aussi dévoués envers vous qu'envers moi.

– Et la grosse bête à cornes, là-bas ? s'enquit Barthélémy d'un ton acerbe en montrant Minho. Vous ne lui demandez pas son avis ? Après tout, le bœuf est aussi du voyage ! Il a peut-être une idée à mugir !

– Pour l'avoir libéré, expliqua Amos, Minho a juré de me servir pendant douze lunes. Il me suivra… vers la droite.

– Au moins, vous aurez quelqu'un pour assurer votre protection ! lança Barthélémy en guise d'au revoir. Mes hommes et moi partons vers la ville… Bonne chance ! J'accepte votre offre, Koutoubia ; maintenant, voulez-vous m'expliquer comment me rendre chez vos amis ?

Le groupe allait se séparer.

Amos avait le cœur gros, mais il n'en laissa rien paraître. Décidément, Barthélémy avait bien changé ! Le seigneur de Bratel-la-Grande avait déjà oublié la promesse solennelle qu'il lui avait faite : « Tu avais déjà gagné ma loyauté et mon épée, voici que je t'offre aujourd'hui mon âme et celles des chevaliers que tu as libérés en ce jour. »

Mais qu'est-ce qui avait pu autant transformer Barthélémy ? Peut-être la torture avait-elle modifié sa personnalité ? Ou encore, puisqu'il avait l'habitude de gouverner, de prendre lui-même les décisions et d'en assumer les conséquences, peut-être le chevalier en avait-il assez de se faire diriger par des enfants ? Malheureusement, pour une raison ou pour une autre, les routes d'Amos Daragon et du seigneur Barthélémy de Bratel-la-Grande se séparèrent à ce croisement de routes, et chacun partit de son côté.

C'est avec indifférence que les chevaliers laissèrent les enfants derrière eux. Amos regarda s'éloigner son ami Barthélémy en souhaitant, du plus profond de son cœur, qu'il retrouve sans peine son chemin vers Bratel-la-Grande.

– Allez, Amos ! dit Béorf en le réconfortant d'une accolade virile. Nous devons partir ! Ne crains rien, ils sont assez grands pour savoir ce qu'ils font. Ce sont des adultes après tout !

– Oui, je sais bien, répondit Amos, tu as raison. Je n'ai pas à m'inquiéter... Barthélémy est un vaillant chevalier, et lui et ses hommes en ont vu d'autres. Mais, tu comprends, ce qui me chagrine n'est pas tant son départ que son attitude froide envers moi.

– T'occupes! lui lança Béorf. Nous avons d'autres chats à fouetter!

Koutoubia et les adolescents se mirent donc en route vers El-Bab, suivis de loin par Minho. Le minotaure ne se soucia pas le moins du monde du départ des chevaliers. Pour lui, les humains étaient d'étranges créatures instables auxquelles il n'accordait que peu de confiance. Il avait promis de servir Amos, et c'est tout ce qui l'intéressait. Ce jeune garçon parlait très bien sa langue, il était poli, respectueux et indépendant. Trois qualités présentes et honorées chez les hommes-taureaux.

Après une longue journée de marche vers El-Bab, Koutoubia trouva une sympathique clairière pour passer la nuit. Il y avait là des figues et des dattes à volonté, d'autres espèces d'arbres tout aussi débordants de fruits exotiques, ainsi que beaucoup de poissons dans la rivière. Béorf fut affecté à la cueillette des fruits, Médousa alla à la pêche tandis qu'Amos et Lolya préparèrent ensemble le feu puis fabriquèrent pour la nuit quatre couches avec des branchages et des feuilles. Minho avait rejoint le groupe avec un mouton prêt à cuire sur la broche. Où avait-il déniché l'animal? Personne n'osa lui poser la question, mais tous furent heureux à l'idée du festin. De son côté, Koutoubia fit un peu de reconnaissance de terrain pour mieux s'orienter en vue du départ du lendemain.

Avant le repas, Médousa s'offrit quelques insectes en entrée et se rappela les délices que ses sœurs de la mer Sombre mangeaient tous les jours. Ces amuse-gueule lui parurent alors bien fades…

La soirée se déroula dans une ambiance de fête. Même Minho, pour épater les adolescents, exécuta autour du feu une danse traditionnelle de son pays. Lolya fut très impressionnée par l'agilité et le rythme du mastodonte de deux cents kilos. Cette danse, leur expliqua-t-il, servait à troubler l'ennemi sur un champ de bataille de manière à le décourager de passer à l'attaque. Composée de sons violents, d'une gestuelle saccadée et d'enchaînements de toutes sortes de mouvements brutaux, cette chorégraphie avait toujours eu un fort effet dissuasif sur les adversaires. Le peuple des hommes-taureaux avait ainsi gagné régulièrement des guerres sans avoir eu à se battre, ses opposants apeurés détalant comme des lapins.

Le ventre plein et fatigués par la route et la fête, tous s'endormirent rapidement sous un magnifique croissant de lune.

Au matin, c'est un Béorf paniqué qui réveilla tout le monde :

– Debout ! Réveillez-vous ! C'est incroyable ce qui arrive ! Allez, debout !

– Mais que se passe-t-il encore ? demanda Médousa sur un ton bourru. Laisse-nous dormir, Béorf… Nous verrons plus tard !

– Il n'y a plus d'eau ! insista l'hommanimal. Toute l'eau s'est transformée en sang ! Il y a du sang partout !

Amos se leva d'un bond et courut avec l'hommanimal jusqu'à la rivière. Lolya, Médousa et Koutoubia les rejoignirent aussitôt, mais laissèrent derrière eux Minho qui ronflait encore.

Béorf avait raison ! L'eau de la rivière était rouge et visqueuse. Sur les rives, du plasma coagulé séchait au soleil en dégageant une odeur de viande avariée. Des centaines de poissons morts flottaient çà et là sur le dos. C'était un spectacle dégoûtant !

– Mais qu'est-ce que c'est ? demanda Amos en se tournant vers Koutoubia. Est-ce un phénomène naturel propre à la région ?

– Non, sûrement pas, répondit le guide, interdit devant la scène. Je n'ai jamais vu ni

jamais entendu parler d'une telle chose...
Jamais, je le jure !

— Et toi, Lolya, continua le porteur de masques, penses-tu que cela peut avoir un lien avec le monde des esprits ou des dieux ?

— Je n'ai reçu aucun signe ni aucun avertissement concret, à part mes intuitions, bien sûr, confia Lolya. Je ne comprends pas... J'aurais dû pourtant... Je suis désolée, je n'ai pas de réponse pour toi.

— Regardez ! intervint Médousa. Même l'eau de ma gourde s'est transformée en sang ! Pourtant, elle était parfaite hier soir !

— Une manifestation comme celle-là, pensa la nécromancienne à voix haute, c'est du ressort des dieux. J'avais bien senti quelque chose, mais je ne m'attendais pas à cela !

— Plus d'eau potable ! se lamenta Béorf. Voilà un sacré problème pour continuer le voyage !

— Nous pourrons toujours boire le jus des fruits, proposa Koutoubia. J'en connais quelques-uns qui sont très rafraîchissants.

— Prenons nos affaires et filons d'ici tout de suite, décida Amos. Je ne sais pas si ce phénomène est localisé ou s'il s'étend à tout le pays, mais en tout cas, nous avons intérêt à ne pas traîner...

– Bonne idée, approuva Béorf. Tout ce sang me lève le cœur et l'odeur est vraiment trop insupportable !

Le groupe remonta rapidement vers le campement et chacun commença à faire son bagage. Amos réveilla Minho et, équipé de ses oreilles de cristal, lui expliqua brièvement la situation. Le colosse se secoua rapidement et, en quelques minutes, tous furent prêts à reprendre la route.

– Je suis inquiète, Amos, lui confia Lolya un peu plus tard. Je crois que ce phénomène d'eau qui se change en sang est le début de quelque chose de plus terrible encore. Nous assistons au commencement d'une série de bouleversements qui provoqueront beaucoup de souffrances.

– J'espère que tu te trompes, répondit Amos, également inquiet. J'ai vu beaucoup de choses étranges depuis mon départ du royaume d'Omain, mais comme ça… jamais ! Nous devrons toujours demeurer sur nos gardes pour pouvoir agir rapidement si d'autres phénomènes se produisaient.

– Je suis d'accord, dit Béorf qui écoutait discrètement. Celui ou celle qui possède le pouvoir de transformer l'eau d'une rivière en sang peut nous écraser comme des fourmis. Il faudra être vigilants.

– J'espère seulement que la mer Sombre n'a pas été touchée, dit Médousa en se joignant à la conversation. Je viens à peine de connaître mes origines et de rencontrer mes sœurs gorgones, et je ne voudrais surtout pas qu'il leur arrive malheur.

– On ne peut présumer de rien, lui répondit Amos, mais ne t'inquiète pas, je les pense assez ingénieuses pour se sortir de n'importe quel pétrin.

À ce moment, le petit groupe croisa au détour d'une courbe un vieil homme aveugle, assis sur son âne, qui hurlait à tue-tête :

– La fin du monde est arrivée ! C'est la fin du monde ! Priez, bande de chiens galeux, et prosternez-vous devant l'Unique ! Demain est mort alors qu'aujourd'hui agonise ! Priez, hommes de peu de foi, car la fin du monde frappe à la porte ! Priez, ordures…

9
Les grenouilles

En ce nouveau matin, c'est Koutoubia Ben Guéliz qui, le premier, ouvrit les yeux. Le guide se redressa et regarda nerveusement autour de lui pour s'assurer que tout était normal. Ses rêves avaient été baignés de rivières ensanglantées, de noyés difformes et d'assoiffés cadavériques. Il avait été choqué par la macabre surprise de la veille !

Rien ne paraissait étrange ou anormal autour du camp, sinon que Minho, bien assis sur une grosse pierre, s'était endormi pendant son tour de garde. Le soleil était à peine levé qu'un chaud rayon parvint jusqu'à Koutoubia et le réconforta comme une douce caresse. Le guide s'apaisa et, rassuré, se recoucha.

Koutoubia Ben Guéliz replaça l'oreiller de fortune sous sa tête et se plaça sur le côté droit, en position fœtale. La dureté du sol avait endolori le bas de son dos et cette nouvelle posture le fit sourire de contentement. Une image s'imprégna alors dans son esprit : celle d'une grenouille.

Koutoubia, presque déjà rendormi, se demanda pourtant s'il avait bien vu ce qu'il croyait avoir vu ! Son regard s'était-il réellement posé sur une grenouille ? Et de surcroît, une grenouille qui le dévisageait avec insistance ?

Comme il essayait de chasser de son esprit cette stupide illusion, il entendit un coassement. Toujours dans un demi-sommeil, il ouvrit un œil et vit, à quelques centimètres de son nez, une grenouille verte avec deux immenses yeux globuleux qui le fixaient.

– Mais qu'est-ce que tu fais là, toi ? maugréa le guide, maintenant un peu plus réveillé. Fous le camp et laisse-moi dormir…

– Croooooooak ! fit pour la seconde fois le batracien entêté.

Agacé, le guide se tourna sur le côté gauche dans une position confortable. Tournant ainsi le dos à l'effrontée, il put fermer les yeux et espéra glisser dans le sommeil rapidement.

Après seulement quelques instants, sentant toujours qu'on l'observait, il ouvrit une paupière et… vit la grenouille encore devant lui ! Le petit animal avait aussi changé de côté !

– Mais vas-tu me laisser dormir, sale bête ? fulmina Koutoubia en reprenant sa position initiale. J'ai besoin de sommeil et tu me déranges…

En se promettant d'écrabouiller la grenouille si elle s'obstinait à rester collée à lui, le guide essaya encore de se rendormir. Néanmoins, il se hasarda à rouvrir un œil afin de s'assurer que le batracien avait déguerpi. Koutoubia vit alors deux grenouilles qui l'observaient !

– Décidément, j'ai la berlue ! s'exclama-t-il à voix haute tout en se frottant les yeux.

Sa vision devenait encore plus trouble puisqu'elle lui révéla non plus deux, mais quatre grenouilles.

– Mais d'où sortent-elles, celles-là ? se demanda le guide, exaspéré et maintenant complètement réveillé.

C'est à ce moment précis qu'un formidable rayon de soleil envahit le campement entier et réveilla, comme un signal divin, tous les batraciens qui s'y trouvaient. Ils étaient des milliers dans le camp !

Les grenouilles commencèrent alors à coasser toutes en même temps, et ce boucan, comme la vibration d'un volcan en furie, tira en sursaut de son sommeil toute la bande d'Amos.

Minho, à demi conscient, sauta sur ses deux pieds et, certain de faire face à un raid de cavalerie, s'attaqua à un palmier comme s'il s'agissait d'un ennemi.

Béorf hurla sa peur, mais se transforma illico en ours. Empêtré dans sa couverture, le gros garçon roula de sa couche en écrasant Lolya de tout son poids au passage. Les cris de frayeur de la jeune nécromancienne alertèrent les réflexes trop rapides de Médousa qui se jeta immédiatement sur Béorf en croyant qu'il s'agissait d'un monstre. Amos, les cheveux en broussaille, la panique au cœur et complètement ahuri, se leva d'un bond. Son pied glissa sur une grenouille et il se retrouva face contre terre. Dans sa chute, son poing avait heurté violemment Koutoubia en pleine figure, ce qui expédia ce dernier directement dans les bras de Morphée. Le guide voulait dormir, eh bien, il dormait maintenant!

– Mais quel est ce bruit? demanda Amos à travers cette cacophonie. C'est trop infernal!

– Tu m'écrases, Béorf! hurla Lolya coincée sous le poids de l'hommanimal.

– C'est toi, Béorf? demanda Médousa qui, pourtant, continuait à rouer de coups son faux ennemi.

– ARRÊTE! MAIS ARRÊTE DE ME FRAP-PER, MÉDOUSA! s'écria le gros garçon en reprenant sa forme humaine. JE NE SUIS PAS UN MONSTRE, C'EST MOI, BÉORF! Je me suis seulement empêtré dans ma couverture…

– AHHH! Il Y A DES GRENOUILLES PARTOUT! cria Amos, dégoûté à la vue de ce grouillement poisseux. ELLES SONT DES MILLIERS! DES MILLIERS DE GRENOUILLES! C'est leur coassement qui cause tout ce vacarme! Partons vite d'ici! Elles doivent provenir de la rivière un peu plus loin! Prenons nos affaires et courons sur cette colline là-bas! De là, nous aurons un meilleur aperçu de l'invasion!

Personne ne se fit prier et chacun prit ses jambes à son cou. Seul Koutoubia demeura immobile, encore assommé par le coup accidentel que lui avait asséné Amos. Dès qu'il s'en aperçut, Béorf rebroussa chemin pour aller le réveiller. Le guide retrouva difficilement ses esprits et c'est en chancelant qu'il suivit son camarade.

Le petit groupe fut bientôt en sécurité sur la colline. Cependant, ils demeurèrent tous bouche bée devant cet afflux massif de batraciens qui se déployait plus loin.

– Mais que se passe-t-il encore? murmura Béorf en se grattant la tête. Hier, c'était du sang et, aujourd'hui, ce sont des grenouilles! Nous sommes dans des contrées bien étranges…

— Regarde! lança Amos en pointant l'horizon. Elles émergent par milliers de la rivière de sang. À ce rythme-là, il y en aura bientôt partout dans le pays!

— Tout cela n'est pas normal! renchérit l'hommanimal. Que se passe-t-il ici?

— Et si c'était la fin du monde? suggéra du bout des lèvres Koutoubia. L'aveugle que nous avons rencontré hier avait peut-être vu juste. Prions et espérons que les dieux nous épargneront.

— Eh bien, bonne chance! lui souhaita cyniquement Amos. Et je t'assure, Koutoubia, qu'il est inutile de prier. Je sais par expérience que les dieux n'ont rien à faire de notre sort. Qu'ils soient du côté du bien ou de celui du mal, ils se préoccupent davantage de l'importance de leur puissance ainsi que de leurs petites querelles. Il n'y a que cela qui les intéresse vraiment! Par contre, il arrive que les dieux se servent de la foi des croyants pour accentuer leur emprise sur le monde, et si jamais ils accordent une grâce à un humain, c'est seulement parce qu'ils savent qu'ils pourront en bénéficier grandement.

Tout le monde garda le silence. Amos n'avait pas l'habitude d'être aussi catégorique dans ses propos, et tout le monde en fut surpris.

– Je devais effectuer ce voyage pour secourir ma mère, continua le porteur de masques après un moment de réflexion, mais en réalité, Frilla est un prétexte à cette expédition. Je suis convaincu que la tour est liée à tout ce désordre et que je suis là pour régler le cas d'Enki. C'est ma mission de porteur de masques d'aller contre les volontés divines ! Il est de plus en plus clair pour moi qu'El-Bab doit tomber.

– Faire tomber la tour ? Tu n'es pas sérieux, Amos ? Et comment la ferions-nous tomber, cette tour ? demanda Béorf, sceptique.

– Je ne sais pas encore, répondit-il gravement. Et c'est ce qui me rend anxieux…

Tout à coup, une forte secousse sismique interrompit le porteur de masques.

– Regardez ! s'écria Médousa. Maintenant, il y a des milliers et des milliers d'insectes, aussi !… Et ils ont l'air de fuir !

– Wow ! C'est vrai ! remarqua aussi Béorf. Regardez ! On aperçoit des fourmis, des coléoptères de toutes les sortes, et il y a même des vers ! Ils filent tous dans la même direction…

– C'est extraordinaire ! ajouta la gorgone affamée. Ça semble évident que ces insectes sont poursuivis…

À la lumière de cette dernière remarque, le groupe se retourna d'un même mouvement et…

– FUYONS! VITE! SAUVONS-NOUS! hurla Amos, tout en restant pourtant figé sur place.

Des millions de grenouilles au moins, sautillant les unes par-dessus les autres, créaient un raz de marée qui déferlait sur terre en détruisant tout sur son passage. La horde sauvage et visqueuse était composée entre autres de rainettes aux longues pattes et aux grands yeux injectés de sang, de gros crapauds rouges et pustuleux, et de voraces grenouilles à cornes enragées et certainement venimeuses. Dans un immense nuage de poussière, les batraciens probablement affamés faisaient trembler la terre. À les voir s'affoler à l'approche des insectes, c'était clair qu'ils n'avaient qu'une idée en tête : les manger !

– FUIR? interrogea Koutoubia, aussi paralysé et paniqué que les autres. MAIS FUIR OÙ?

– Là d'où nous venons! Là où nous avons passé la nuit. Nous grimperons aux palmiers! répondit Amos qui, subitement, détala comme un lièvre.

Sans plus attendre, Béorf se retransforma en ours et, à l'exemple d'Amos, dévala la colline à grande vitesse. Grâce à son agilité et à l'aide de ses griffes, il fut, en un temps record, tout en haut d'un gigantesque palmier. Amos fit passer Lolya, Médousa et Koutoubia devant lui. Seul Minho demeura sur le plancher des vaches, incapable de monter aux arbres à cause de ses sabots. Le gros minotaure s'appuya donc sur le palmier et espéra que la vague géante de grenouilles passe sans lui faire trop de mal.

Tel un tsunami, les batraciens frappèrent tout, et le palmier sur lequel s'étaient réfugiés Koutoubia et les adolescents ne fut pas épargné. Mais juste avant qu'il ne s'effondre, Béorf jeta un coup d'œil à Amos. Le porteur de masques comprit que ce regard était l'ultime salut d'un ami inquiet de ne pas survivre au péril. Puis l'arbre se brisa d'un coup sec et s'abattit violemment sur la nuée de grenouilles visqueuses.

Pour sa part, Minho ne put retenir l'arbre. Entraîné par le courant de grenouilles, il se retrouva à quelques dizaines de mètres de là.

Comme le palmier tombait sur le sol, Médousa déploya ses ailes pour y faire engouffrer le plus de vent possible, puis elle agrippa Lolya et s'élança avec elle dans les airs. Le porteur de masques avait tout juste eu le temps de lui fournir une bonne bourrasque de vent afin qu'elle s'envole vers les nuages. Il avait deviné que sa situation était sans issue, mais heureusement, ses deux amies avaient une chance de s'échapper.

En s'élevant dans les airs, la jeune nécromancienne regarda, horrifiée, Amos, Béorf et

Koutoubia disparaître dans les flots de batraciens sans même pouvoir les secourir.

***

— Amos! Réveille-toi, Amos! insista Lolya en le secouant doucement. Médousa, regarde! On dirait qu'il revient lentement à lui! Ouvre les yeux, Amos!

Le garçon ouvrit les yeux et aperçut avec joie son amie la nécromancienne.

— Sommes-nous sauvés? demanda Amos d'une voix à peine audible. Que s'est-il passé? Où suis-je? Ah! oui, les grenouilles…

— Tu as perdu conscience juste après ta crise, lui expliqua Lolya. J'ai tout vu du haut des airs! Quel spectacle!

— Ah bon? dit Amos en s'efforçant de se rappeler les événements. Qu'est-ce que j'ai donc fait? Je ne me rappelle plus…

— Une superbe perte de contrôle! précisa Médousa.

— Comme dans le bon vieux temps! rigola Béorf, tout couvert de cendres et de suie. Tu te rappelles Berrion, non? Eh bien, disons que cette fois encore, tu as mis le paquet!

— C'est bizarre, souffla Amos. Je n'ai aucun souvenir d'une crise récente… mais je suis tellement fatigué, je me sens si las…

– Maître Daragon nous a sauvé la vie ! lança tout à coup Koutoubia.

– Mais qu'ai-je donc fait ?

– Si vous permettez, commença Lolya, je vais lui raconter. Lorsque tu es tombé dans la marée de grenouilles, je te croyais mort. Du haut des airs, Médousa et moi ne donnions pas cher de ta peau. Puis, de l'endroit où tu es tombé, nous avons vu s'élever une petite tornade. Le tourbillon a commencé à projeter des grenouilles un peu partout. Koutoubia était à tes pieds, en sécurité au centre du tourbillon. Ensuite, j'ai vu Béorf se battre avec les batraciens pour aller te rejoindre et, finalement, Minho est venu se réfugier de peine et de misère près de toi. Lorsqu'ils furent tous au centre de ta tornade… tu… tu… WOW ! Comment décrire cela ?

– Tu as perdu la tête ! continua Béorf à son tour. Tu as commencé à parler tout seul et à invoquer le peuple du feu puis, d'un seul coup, le tourbillon s'est enflammé. Tu as grillé des milliers de grenouilles en les projetant dans toute la plaine. On aurait dit des météorites en feu !

– Grâce à toute cette chaleur et à ce vent, expliqua Médousa, j'ai pu me maintenir dans les airs en me servant des courants chauds ascendants.

— Tu as maintenu le sort très longtemps, enchaîna Lolya. Jusqu'à ce que tu perdes conscience. Heureusement, le plus gros de la vague de grenouilles était passé, et Béorf et Minho se sont chargés d'éliminer les derniers batraciens vivants. Je suis alors descendue du ciel avec Médousa et nous avons tenté de te réveiller.

— Vous avez essayé longtemps avant de réussir à me faire reprendre conscience ? demanda Amos. Et… Yeark ! Qu'est-ce que cette désagréable odeur ?

— Cela doit bien faire une heure que nous essayons, répondit Lolya.

— Et pour l'odeur, expliqua Béorf, c'est de la grenouille carbonisée ! Tu as transformé les environs en véritable four. Regarde par toi-même !

Amos leva la tête et comprit ce que son ami voulait dire. La vallée était maintenant un désert de cendres d'où s'élevaient des filets de fumée. La rivière de sang était croûtée et calcinée sur le dessus. Tous les arbres avaient brûlé, et les poussières de milliers de batraciens chargeaient l'air d'une odeur désagréable.

— Partons d'ici, décida Amos en se levant avec difficulté. La route vers El-Bab est encore longue, et je sens que nous ne sommes pas au bout de nos peines.

– Mais toi, s'inquiéta Lolya, comment te sens-tu ?

– J'ai mal à tous les os de mon corps, confia le porteur de masques. Je suis étourdi, et une forte migraine me compresse le crâne. Aussi, j'ai la très désagréable impression qu'un troupeau complet de chevaux m'a piétiné pendant des heures. À part ces quelques détails, je suis en très grande forme !

– Je suis content de voir que tu vas bien ! rigola Béorf. Pour la suite des bonnes nouvelles, il faut que tu saches que nous n'avons plus rien à manger, plus rien à boire, et probablement encore beaucoup de surprises à affronter.

– Ouf… soupira Amos. J'aurais dû rester couché ce matin.

10

Les insectes

Barthélémy et ses hommes avaient accéléré le pas et atteint la capitale du roi Aratta en deux jours. Ils avaient assisté à la transformation de l'eau en sang et réussirent à survivre à l'invasion de grenouilles. Par chance, les chevaliers se trouvaient sur le versant d'une montagne lorsque les batraciens avaient envahi tout le pays. La marée des créatures ne les avait pas touchés, et Barthélémy remerciait encore le ciel de sa clémence. En effet, quelqu'un veillait bien sur lui…

La veille de leur arrivée dans la capitale, un de ses hommes était mort en chemin. Le pauvre bougre était tellement assoiffé qu'il avait bu le sang d'un ruisseau. La réaction ne s'était pas fait attendre très longtemps. De douloureux maux de ventre, une forte fièvre et d'abondants vomissements avaient eu raison du solide chevalier. En moins d'une heure, le mal l'avait emporté.

Le seigneur de Bratel-la-Grande et ses chevaliers étaient arrivés dans la grande ville d'Aratta quelques heures avant le lever du soleil. Comme le lui avait indiqué Koutoubia Ben Guéliz, Barthélémy s'était rendu chez les amis du guide. Les lieux étaient déserts : les habitants avaient abandonné leur demeure. En allumant une chandelle pour percer la grisaille du matin, ils avaient découvert cette inscription sur le mur : « Priez ! La fin du monde est proche. El-Bab vous protégera. »

Barthélémy prit alors possession de la maison et ordonna que l'on fouille les lieux pour y dénicher des vivres. Au deuxième étage de la maison, un grenier rempli de victuailles attendait patiemment qu'on le découvre. L'eau potable était corrompue par le sang, mais il y avait du vin, de la bière et une grande quantité de liqueurs étranges. Dans des jarres bien scellées, les hommes trouvèrent aussi des légumes marinés, de la viande de mouton et une innombrable quantité de couscous. Au plafond du grenier pendaient de la saucisse séchée et des quartiers de bœuf fumé.

Toute la nourriture fut vite descendue du grenier et les chevaliers s'empiffrèrent jusqu'au lever du soleil.

Après le festin, c'est un Barthélémy repu et désorienté par l'alcool qui jeta un coup d'œil furtif à l'extérieur. Ses hommes dormaient maintenant un peu partout sur le plancher ou s'empilaient sur les lits des petites chambres de la maison. Le chevalier voulait s'assurer que tout était normal autour de la maison avant de tomber à son tour dans les bras de Morphée. Malgré l'heure matinale, il remarqua que des dizaines de personnes quittaient déjà la ville.

– C'est ça! pensa-t-il. Partez vous mettre à genoux pour implorer votre dieu! Bande de lâches… Allez supplier pour votre vie et n'oubliez pas de pleurer comme des enfants!

Une douce voix interrompit le chevalier dans ses pensées:

– Il n'est pas mal de prier un dieu que l'on aime.

Le chevalier se retourna et vit une magnifique jeune femme près de la table de cuisine. Sa peau était lumineuse comme la rosée du matin, ses yeux clairs comme les premiers rayons du soleil, et sa grande tignasse blanche ressemblait à une fine neige posée sur ses épaules. Son sourire rappelait les plus beaux levers de soleil, et sa présence embaumait les lieux tel le doux parfum du réveil de la terre.

Barthélémy secoua la tête, incrédule devant l'apparition. Il pensa avoir trop bu d'alcool:

— C'est peut-être cette étrange liqueur qui me donne des visions, marmonna le chevalier en se frottant les yeux.

Le seigneur eut beau s'ébrouer et se pincer plusieurs fois, la vision refusait de disparaître.

— Qui es-tu, femme? s'enquit le chevalier, perplexe. Sommes-nous chez toi?

— Tu n'es pas chez moi, lui confirma la magnifique femme. J'habite très loin d'ici, dans un monde que tu ne connais pas.

— Alors que fais-tu ici? interrogea le chevalier ivre. Que me veux-tu?

— Je viens solliciter ton assistance, répondit la dame. Je me nomme Zaria-Zarenitsa et je suis venue à toi pour te demander de l'aide. Est-il vrai que les chevaliers ne refusent jamais de porter secours à une femme en détresse?

— C'est vrai! confirma Barthélémy, ragaillardi par son devoir.

— Même si cette femme est une petite déesse mineure d'un grand panthéon de vilains dieux assassins et guerriers?

— Je protège toutes les dames en détresse, lui promit Barthélémy, avec un brin de hardiesse dans la voix. Dites-moi ce qui vous trouble, belle Zaria-Zarenitsa, et je verrai ce que je peux faire.

— Très bien, dit la déesse en s'approchant de façon voluptueuse du chevalier. Je suis loin de chez moi et… et toi aussi d'ailleurs ! Tous deux, nous n'appartenons pas à ce pays, à cette culture, à ces gens. Ce qui se passe à l'extérieur des murs de cette maison ne nous regarde pas ! Il y aura encore de grands bouleversements et des centaines de personnes mourront. J'ai besoin de ta force et de ton courage, mais j'ai surtout besoin de toi vivant ! Ne risque pas ta vie inutilement et reste dans cette demeure encore huit jours. N'ouvre la porte à personne ! Tu as des provisions en quantité et beaucoup de repos à prendre. Ensuite, notre histoire pourra commencer…

La déesse s'approcha du chevalier et l'embrassa tendrement. Barthélémy fut complètement renversé par ce baiser. Son cœur s'emballa comme sous l'effet d'un premier grand amour et il tomba sous le charme de la déesse.

Visiblement contente de son effet, la déité continua :

– Écoute-moi bien, je suis très faible et sur le point de disparaître dans le néant cosmique… J'ai besoin d'une forte démonstration d'amour de ta part pour me sauver de l'anéantissement. Si tu veux que notre histoire se poursuive et que je revienne t'embrasser, tu devras sacrifier un de tes hommes chaque nouveau matin. Chacun de ces sacrifices me donnera la force pour revenir partager quelques instants en ta compagnie.

En contrepartie, je protégerai cette maison et aucun des fléaux à venir ne sera une menace pour toi. Je t'aiderai ensuite à revenir dans ton pays et à devenir celui que tu dois être…

– Tu m'aideras à devenir le roi des quinze royaumes? s'enquit le chevalier, déjà transi d'amour.

– Oui! lui jura solennellement Zaria-Zarenitsa. Et tu uniras les troupes des quinze pour une grande croisade dédiée à ma gloire. Ensemble, nous éliminerons une fois pour toutes le mal qui ronge le monde.

– Mais mes hommes sont braves et ils ont confiance en moi! s'inquiéta Barthélémy, malgré tout encore un peu lucide. Je ne peux pas les trahir ainsi…

– Que sont tes hommes en comparaison de moi? minauda la déesse en caressant la main du chevalier. Pour mon peuple, je suis la divinité qui crée le matin et la douceur des premiers rayons du soleil. Je deviendrai beaucoup plus qu'une simple déesse mineure si tu m'aides. Sacrifie ces hommes pour ma gloire et je te promets que tu ne le regretteras pas.

– D'accord, consentit Barthélémy après un instant d'hésitation. Je vais te servir… et t'aider!

– Dans quelques instants, confia la déesse, des nuages de moustiques envahiront cette ville. Jette trois de tes chevaliers à l'extérieur… Ils mourront dévorés par les insectes et ce triple sacrifice me donnera la force de mieux sceller cette maison afin que rien n'y pénètre. Exécute-toi vite, je ne peux prendre forme humaine qu'au lever du soleil, et mes pouvoirs sont encore très limités.

Zaria-Zarenitsa embrassa une dernière fois le chevalier avant de s'évanouir dans l'air. Barthélémy, ivre et chancelant, ouvrit la porte de la maison et expulsa trois de ses hommes dans la rue. Ces derniers, à moitié endormis et fortement avinés, offrirent peu de résistance. Le seigneur de Bratel-la-Grande bloqua alors la porte avec la table de la cuisine, ferma tous les volets de la maison et attendit le réveil des moustiques.

Comme l'avait prédit la déesse, des nuages d'insectes piqueurs envahirent la ville. C'est au son des cris horrifiés de ses hommes que Barthélémy s'endormit calmement, l'âme en paix. Dans la maison, personne ne se réveilla pour leur venir en aide…

***

Béorf, Lolya, Médousa, Koutoubia et Minho étaient couverts de piqûres de la tête aux pieds. Seul Amos, protégé par le masque de la terre, était encore en parfait état. Le petit groupe avait été surpris, dès le lever du soleil, par des nuées d'insectes en manque de sang frais. Heureusement, Koutoubia avait repéré une petite vallée aux nombreuses grottes. C'est dans l'une de ces cavernes qu'ils avaient trouvé refuge et qu'ils reprenaient maintenant leur souffle.

Pour empêcher les voraces insectes de pénétrer dans leur refuge, Amos avait créé devant l'entrée de la grotte un mur de vent capable de les tenir en respect. Le porteur de masques était très fatigué, mais sa concentration tenait encore bon. Par contre, il épuisait rapidement ses dernières forces.

– Amos ne tiendra plus très longtemps, remarqua Béorf, le visage rouge de piqûres. Sa perte de contrôle avec les grenouilles l'a grandement fatigué et sa concentration tombe vite ! Regardez-le, il arrive à peine à rester éveillé !

– Il faut trouver une solution, ajouta Lolya en se grattant furieusement. Pensons vite, car si Amos cède, ces maudits insectes vont nous dévorer au complet.

– J'ai beau penser, lança Médousa, je n'ai pas d'idée ! Comment fait-on pour se débarrasser d'une invasion comme celle-là ? Y a-t-il seulement un moyen ?

– Je sais que le pollen contenu dans le chrysanthème est un puissant répulsif, les informa Koutoubia. Mais il en faut beaucoup et nous n'avons pas le temps d'aller cueillir des fleurs…

– J'ai du pollen de chrysanthème dans mes ingrédients de magie, dit Lolya en réfléchissant. Ce n'est pas une très grosse quantité, mais s'il y avait un moyen de le répandre efficacement…

– Je pense avoir une idée, dit Béorf en regardant le minotaure. Minho est tellement costaud qu'il a eu du mal à passer par l'entrée de la grotte. Son poil est une protection naturelle contre les insectes. Regardez : il n'est piqué qu'au visage et à l'intérieur des oreilles.

– Et alors ? l'encouragea Koutoubia, intéressé, avec l'espoir de trouver une solution.

– Je crois que nous devrions enduire de pollen de chrysanthème l'échine de Minho, proposa le gros garçon. Ensuite, il n'aurait qu'à se placer dans l'entrée de la grotte et la colmater avec son dos. Il est assez large pour tout bloquer !

– Bonne idée ! s'exclama Lolya. Il aura le corps à l'intérieur et le dos à l'air… Nous en ferons un genre de gros bouchon ! Pendant ce temps, il pourra lui aussi se reposer.

– Et Amos pourra dormir ! continua Médousa.

– Allez, Béorf, commanda la jeune nécromancienne, mets tes oreilles de cristal et explique ton plan à Minho. Moi, je prépare le pollen…

– Je vais avertir Amos qu'il pourra bientôt se reposer, annonça Koutoubia en se dirigeant vers l'entrée de la caverne.

Béorf exposa son idée à Minho et le colosse la trouva excellente. L'homme-taureau fut bientôt saupoudré de pollen de chrysanthème et s'installa le dos dans l'ouverture. Les muscles de son corps se moulèrent à la pierre et l'entrée fut presque hermétiquement scellée. Même les plus braves moustiques, flairant le sang frais à l'intérieur de la grotte, n'osèrent pas approcher cette masse de poils sentant le dégoûtant pollen.

Une fois Amos relevé de ses fonctions, Koutoubia dut l'aider à marcher jusqu'à ses amis. Arrivé près d'eux, le porteur de masques s'effondra dans un profond sommeil. La magie sur les éléments avait eu raison de ses dernières forces.

– Laissons-le dormir en paix, dit Béorf en posant une couverture sur son ami. Il en a bien besoin…

– Je vais le surveiller et m'assurer qu'il n'est pas dérangé, suggéra Lolya en lui caressant doucement les cheveux.

– Je veux aller explorer ces grottes plus en profondeur. Tu viens avec moi, Médousa ? proposa Béorf.

– Là où le chef d'Upsgran va, je vais ! rigola la gorgone. Et j'espère qu'il y aura quelques insectes à manger, je commence à avoir vraiment faim. Depuis le passage des grenouilles, je n'ai plus rien à me mettre sous la dent !

– Moi, intervint Koutoubia, je vous déconseille d'y aller… On raconte d'étranges histoires sur ces lieux. On dit que ces grottes sont hantées par des esprits maléfiques. Quiconque s'y aventure ne revient jamais !

– Raison de plus pour les explorer ! lança Médousa, remplie de joie. Les légendes disent aussi que toutes les gorgones sont d'affreuses créatures méchantes qui détestent les humains. Pourtant, je ne suis pas comme cela !

– Non, toi, tu es pire ! l'agaça Béorf. Tu es une dégoûtante mangeuse de vers blancs, de cafards et d'araignées…

– Allez, file devant, le menaça Médousa, avant que je perde patience et que je te donne une bonne leçon pour t'apprendre à être poli avec les filles !

Béorf et Médousa, torche artisanale à la main, s'enfoncèrent dans la grotte en rigolant. Ensemble, ces deux-là n'avaient peur de rien ! Les adolescents savaient qu'ils avaient en eux de grands pouvoirs pour se défendre, mais ils possédaient surtout une confiance inébranlable en leur amitié.

À la lumière de quelques chandelles, Lolya et Koutoubia veillèrent le sommeil du porteur de masques.

11
Les taons

Béorf et Médousa étaient partis explorer les cavernes depuis bien longtemps et Lolya commençait à s'inquiéter. Minho, toujours adossé dans l'entrée de la caverne pour bloquer les insectes, ronflait à faire trembler une montagne. C'est d'ailleurs la vibration provoquée par le souffle du minotaure qui réveilla Amos.

– Mais qu'est-ce que c'est? demanda subitement le garçon en ouvrant les yeux. Encore un tremblement de terre?

– Non, rigola Lolya. C'est le sommeil profond d'un homme-taureau épuisé!

– Mais… ce ronflement est pire que celui de Béorf! s'amusa Amos en s'étirant.

– Comment vas-tu? s'informa vite la jeune Noire. Tu étais complètement épuisé!

– Je vais bien, lui assura Amos. Je me sens encore un peu étourdi, mais j'ai repris des forces. Je dors depuis longtemps ?

– Depuis ce matin, répondit Lolya. Tu as dormi presque toute la journée, le soleil se couche dans quelques heures.

– Béorf et Médousa ? Ils ne sont pas là ?

– Non, dit anxieusement la nécromancienne. Ils sont partis explorer la grotte depuis déjà fort longtemps. Je dois t'avouer que je suis un peu inquiète.

Comme Lolya finissait sa phrase, un grand éclat de rire résonna sur les parois de la grotte. Les voix de Médousa et de Béorf remontèrent des profondeurs de la terre et, bientôt, les deux amis apparurent, rieurs et bien portants.

– Il était temps ! s'exclama Lolya. Vous avez trouvé quelque chose ?

– Si nous avons trouvé quelque chose ? éclata Béorf. Suivez-nous, vous n'en croirez pas vos yeux.

– Mais… hésita Lolya en touchant les cheveux du gros garçon. Tu es mouillé ?

– C'est parce que je me suis baigné ! répondit l'hommanimal. J'ai pris un bain, j'ai mangé et j'ai mis des poissons à cuire pour vous. Il faut faire vite avant qu'ils soient trop cuits !

– J'ai justement un creux de la taille d'un canyon ! se réjouit Amos en se levant.

– Je vais avertir Minho, dit Koutoubia en s'élançant vers le minotaure. Pourra-t-il passer malgré sa grande taille ?

– Il me semble bien qu'en bas, répondit Béorf, tout est à sa taille !

Autrefois, il y a de cela des centaines d'années, les minotaures habitaient le pays de Sumer. Comme à leur habitude, ils avaient creusé des villes et des villages à même les montagnes et les collines. Leurs temples étaient toujours enfouis sous la terre au centre de grands labyrinthes capables de perdre les meilleurs guides et de désorienter la plus habile des armées. C'est à cet endroit qu'ils entreposaient armes et provisions, priaient leurs dieux et se purifiaient avant les batailles.

Au centre de ces temples cachés, la tradition des hommes-taureaux exigeait qu'un grand bassin, rempli de poissons et alimenté par les eaux souterraines, serve de bain purificateur aux combattants. Le pouvoir des prêtres minotaures protégeait ces sanctuaires afin qu'aucune malédiction et qu'aucune force présente à l'extérieur du labyrinthe ne puisse corrompre le sanctuaire. C'était un de ces lieux sacrés que Béorf, en reniflant l'odeur du poisson frais, avait trouvé.

Guidé par l'hommanimal, le groupe suivit un long labyrinthe et arriva bientôt dans le temple minotaure. De gigantesques statues d'hommes-taureaux décoraient le tour du bassin sacré. Minho entra alors dans l'eau et se purifia en suivant les rites anciens de son peuple. Les murs du sanctuaire étaient faits de marbre blanc et réfléchissaient la lumière des gigantesques lampes à l'huile rituelles que Béorf avait précédemment allumées. Le feu de ces lampes était si fort que le gros garçon avait mis des poissons à cuire tout près des flammes. À leur arrivée, le repas était prêt !

L'eau était claire, limpide et bonne à boire. Amos et Lolya, complètement déshydratés, en burent chacun quelques litres avant de rejoindre Minho dans un bon bain purificateur. Koutoubia s'exécuta aussi pendant que Béorf, agissant comme cuistot, pêchait de nouveaux poissons.

Le porteur de masques en profita pour sortir de ses affaires l'étrange disque que Médousa avait repêché dans le fond de la mer Sombre. C'était le bon moment pour le nettoyer et peut-être comprendre à quoi il pouvait bien servir.

Lorsque l'objet entra en contact avec l'eau du bassin sacré, toute la saleté incrustée se dissipa comme par magie. Au centre du disque, la pierre précieuse, d'un rose très pâle, s'illumina faiblement. Amos vit apparaître de façon très claire les inscriptions calligraphiées relatant l'évolution de la race des minotaures.

Minho s'approcha alors respectueusement d'Amos, lui demanda de mettre ses oreilles de cristal, et commença à lire pour lui les inscriptions du disque. La race des minotaures est née de l'amour irrésistible et impossible d'une femme et d'un taureau blanc. Le roi d'un grand royaume côtier ayant refusé de sacrifier la bête au dieu des Océans, la vengeance poussa la divinité des eaux à forcer l'union contre nature de la reine et de la bête. De cet amour naquit le père du genre minoen.

À la naissance du premier des minotaures, on fit construire un grand palais aux nombreux couloirs pour y cacher ce monstre mi-homme mi-taureau. La honte du roi fut telle qu'il mit la reine à mort et décida d'oublier l'immonde créature dans le labyrinthe.

Afin de calmer l'appétit de la bête et de faire taire ses lancinants hurlements de solitude, on la nourrit pendant une décennie de sept jeunes filles par année. Ce fut l'une d'entre elles qui, par miséricorde et par amour pour Minotaure, le fit s'échapper. C'est ainsi que la race prospéra sur la terre et que le peuple des hommes-taureaux construisit des temples au cœur d'autres labyrinthes afin de rendre gloire au premier de leur race et de prier le grand taureau blanc, dieu suprême de leur panthéon.

Le disque était aussi un objet spécial appartenant à la légende. Il avait été retrouvé dans le fond de la mer Sombre dans l'épave d'un bateau de guerre croisant contre les gorgones. Cela expliquait le grand nombre de miroirs à bord du bâtiment et la présence d'armes, d'équipements guerriers et de plusieurs crânes de cadavres minotaures.

Cet objet magique aurait dû être livré à un puissant bataillon d'hommes-taureaux par leur grand prêtre afin d'éliminer les gorgones et de gagner définitivement la guerre. Mais le navire, attaqué en mer, avait coulé en emportant avec lui la relique divine.

– Avec respect, je questionne encore, dit Amos. Quel est le pouvoir guerrier de ce disque sacré?

– Sans faute, répondit Minho. Il appelle les Trois.

– Qui sont ces Trois? continua le garçon.

– Trois incarnations de dieux, expliqua l'homme-taureau. Si le disque est brisé, apparaîtront Brontês le cyclope, grand dévoreur d'humains et de moutons, Nessus le centaure, un géant mi-homme mi-cheval, et le grand Minotaure lui-même, premier des minotaures.

– Sauf respect… hésita un peu le porteur de masques incrédule, ce disque appelle les dieux?

– Sans faute, avec respect, l'objet appelle l'esprit des Trois, précisa le colosse. Apparaîtront des titans!

– Avec respect, qu'est-ce qu'un titan?

– Un géant grand comme une montagne, expliqua Minho, plus fort que la plus puissante armée, plus redoutable que le plus grand des rois, plus terrible que la pire des tempêtes.

Les titans sont incontrôlables comme le vent, destructeurs comme le feu, indomptables comme les vagues et solides comme la pierre. Ils sont la rage contenue des dieux barbares qui explose sur le monde. Ils sont les premiers dieux, les oubliés du genre humain. Ils appartiennent au culte des demi-hommes comme Minho. Les titans sont aussi mes dieux…

– Avec respect, je comprends mieux et te donne le disque, dit Amos en présentant l'objet.

– Sauf respect, je ne peux pas, refusa Minho. Seul un prêtre minotaure peut toucher cet objet. Garde-le ; tu n'es pas des miens et, pour toi, le disque n'est pas sacré. Honore mon espèce et sois le gardien de la relique.

– Avec grand respect, conclut Amos. Je ferai attention à ce disque et attendrai de croiser un prêtre de ton espèce pour le lui remettre.

– Minho te rend hommage, termina l'homme-taureau.

Dans le temple minotaure, les voyageurs purent longuement se reposer et manger du poisson à leur faim. Amos reprit toutes ses forces, Béorf du courage, Koutoubia retrouva l'espoir, Minho se purifia l'âme, et les deux filles purent dormir sans crainte.

Ce temple, au centre de la montagne, était l'endroit le plus sûr pour prendre du repos. Protégé par les dieux de Minho, il échappait à la colère d'Enki et aux manifestations de son pouvoir destructeur sur le pays.

Pendant qu'ailleurs des hordes de taons enragés tuaient des milliers d'hommes, de femmes et d'enfants, alors que leur dard arrachait la peau des infidèles en provoquant des hurlements de douleur et au moment où les féroces insectes pénétraient dans les grottes les plus profondes et les cachettes les mieux dissimulées pour débusquer les ennemis d'Enki, aucun de nos aventuriers ne fut dérangé.

– Qu'allons-nous faire maintenant? demanda Lolya à Amos. Nous ne pouvons pas rester ici éternellement!

– Je sais, répondit le porteur de masques. J'ai parlé avec Koutoubia et Minho. Le minotaure connaît bien les labyrinthes et il pense pouvoir nous sortir d'ici par une autre porte plus à l'est. Selon Koutoubia, ce petit voyage sous terre nous fera sauver presque une journée de marche au soleil.

– Bonne nouvelle! se réjouit la jeune nécromancienne. Je suis très contente, mais une chose me tracasse. J'aimerais t'en parler…

– Je t'écoute.

– J'ai lancé mes osselets de divination et… comment te dire… hésita Lolya.

– Vas-y sans détour, je suis prêt à tout! la pria le porteur de masques.

– Eh bien, selon mes prédictions... tu n'existeras plus dans quelque temps.

– Je n'existerai plus ? s'étonna le garçon. Je vais mourir ?

– Non... tu ne meurs pas, mais tu disparais... expliqua Lolya. Je ne comprends pas très bien ces signes et je me trompe peut-être, mais je suis convaincue qu'il t'arrivera quelque chose de terrible... et... et je suis inquiète. Tu sais, mes prévisions ne sont jamais tout à fait vraies ni tout à fait fausses, elles indiquent des tendances, les grandes lignes du destin et...

– Ne t'inquiète pas, Lolya, l'interrompit Amos. Depuis que la sirène Crivannia m'a demandé de me rendre au bois de Tarkasis, ma vie s'est passablement compliquée. J'ai l'impression d'avoir vécu en deux ans autant d'aventures qu'une dizaine de personnes dans toute leur vie. J'accomplirai mon destin malgré les bons et les mauvais présages.

– Et moi, rigola Béorf qui écoutait discrètement, j'attends le moment où Amos disparaîtra enfin pour retourner à Upsgran et ne plus jamais bouger de là ! Je vais manger et dormir pour le reste de mes jours, tel est mon destin !

– Et Béorf me demandera en mariage, continua Médousa sur le même ton, et je lui ferai des bons petits plats aux cafards, des soupes d'araignées et des desserts aux asticots pour le reste de ses jours ! Tel est son destin !

Béorf eut une mimique de dégoût et feignit de perdre conscience. Le gros garçon se laissa tomber lourdement dans l'eau en aspergeant ses amis. Le rire cristallin de Médousa envahit le temple et entraîna la rigolade générale. Même les statues des minotaures, placées tout autour du temple, semblèrent rire de la pitrerie de l'hommanimal. Amos ne s'était pas amusé depuis longtemps et cette détente lui fit grand bien. Il avait perdu l'insouciance de la jeunesse trop rapidement et ces moments-là lui redonnaient une âme d'enfant.

Du coin de l'œil, Minho regardait la scène en souriant. Lui qui n'avait jamais eu une très grande estime pour les humains, il admirait la force de caractère et le courage que pouvaient avoir ces enfants. Même Médousa, dont l'espèce provoquait en lui un profond dégoût, lui semblait maintenant plus sympathique et moins menaçante. Cette scène, pleine de naïveté, lui rappela ses propres jeux d'enfant dans son pays natal, plus au sud du continent. Capturé assez jeune et réduit à l'esclavage, Minho n'avait pas eu beaucoup de chance. L'idée de revoir bientôt des enfants minotaures se chamailler, se bousculer et devenir au fil du temps de farouches guerriers le remplit d'espoir. Après son service auprès d'Amos, il serait libre de partir et de retourner parmi les siens.

C'est sur cette pensée que le colosse ferma les yeux et glissa dans le sommeil, une dernière petite sieste avant de reprendre la route.

12
L'épidémie

Au lever du soleil, Enmerkar grimpa tout en haut de la tour pour admirer la puissance de son dieu. Le grand prêtre se régala de voir des milliards de mouches sortir de la terre et envahir le pays. Des nuages entiers d'œstres infectés, gros comme des cumulus, s'élevèrent pour se répandre aux quatre vents. Des stratiomes au large abdomen jaune et blanc, chargés du virus mortel de la peste, vinrent saluer Enmerkar avant de s'envoler. Aussi, de grosses tachines, prêtes à pondre leurs œufs et à contaminer les troupeaux, se présentèrent par millions aux yeux du prêtre. Pour cette cinquième journée de la grande colère, Enki s'était surpassé ! De toutes les plaies qu'il avait créées, celle-ci serait la plus dévastatrice.

Comme chaque matin, le prêtre constata de visu l'avancement d'El-Bab. Les esclaves travaillaient bien, mais lentement. Enki lui avait promis l'aide de cinq constructeurs de génie capables à eux seuls d'élever le bâtiment jusqu'aux nuages. Mais les jours passaient et ces derniers tardaient à arriver. Enmerkar aurait voulu voir la tour se développer plus rapidement et devenir plus vite le phare spirituel du nouveau monde. L'impatience le rongeait de plus en plus en noircissant son humeur. Le prêtre savait que la patience était une vertu que son dieu récompensait toujours avec générosité, mais l'attente commençait à être longue ! C'est en piaffant de contrariété qu'Enmerkar regagna ses quartiers.

Des centaines et des centaines de gens affluaient tous les jours vers El-Bab. Quelques milliers de tentes et abris de fortune avaient été installés et formaient tout autour de la grande tour une ville champignon.

Le temple était constamment rempli de croyants et les fidèles y défilaient jour et nuit.

Tous ces gens prosternés qui adoraient Enki étaient arrivés pour fuir la mort. Des villages entiers avaient migré avec leurs troupeaux, transformant ainsi leurs habitants sédentaires en fragiles nomades. L'abondance de la population avait restreint les ressources disponibles et un marché noir était vite apparu. Les soldats sumériens, déjà largement occupés avec les esclaves, ne pouvaient rien y faire. En quelques jours, le vol était devenu chose courante et l'extorsion, une manière de vivre.

Sartigan surveillait toujours la mère d'Amos et, sous son déguisement de vieux gâteux, ne s'était pas fait remarquer outre mesure. En quelques mois, le vieillard avait eu le temps d'apprendre le nordique en compagnie de Frilla et aussi un peu de sumérien. Il le parlait assez pour comprendre que le pays autour d'El-Bab subissait de grands bouleversements et que l'arrivée massive de fidèles était provoquée par une série de malheureux cataclysmes.

– Croyez-vous qu'Amos ait réussi à survivre à toutes ces épreuves ? s'inquiéta Frilla.

– Comme vous le dites parfois, chère dame, répondit le maître, il faut savoir faire confiance : qui sème le temps récolte la conquête !

– Non, le reprit Frilla. L'expression est : qui sème le vent récolte la tempête ! Mais je ne vois pas très bien en quoi cette expression est pertinente en regard de ma question…

– Moi non plus, avoua Sartigan en souriant, mais j'avais très envie de la dire. J'aime votre langue, elle est vive et pleine d'étranges expressions. Pour ce qui est d'Amos, j'ai confiance en ses capacités. Ne dit-on pas que la craque sent toujours le hareng?

– Pas la craque, Sartigan! rigola Frilla, la caque! LA CAQUE!

– Hum… la caque?

– Oui, expliqua la femme, c'est un baril dans lequel on entrepose le poisson. La caque sent toujours le poisson! Cela veut dire qu'on se ressent toujours de notre passé, de nos origines. Cela n'a rien à voir avec la situation, encore une fois!

– Ce qui m'inquiète le plus, avoua Sartigan, ce sont ces mouches qui tournoient au sommet de la tour! Ces insectes transportent toujours de terribles maladies… Amos est capable de défaire le plus gros et le plus fort des géants, mais saura-t-il vaincre ses plus petits ennemis? Hum… enfin, qui verra vivra!

– Qui vivra verra! le reprit encore une fois Frilla. Qui vivra verra…

***

Maintenant bien reposés, les aventuriers quittèrent le temple et suivirent Minho dans le labyrinthe. Chacun portait des réserves d'eau potable et Béorf avait fait cuire quelques poissons pour la route. Cette nourriture les ferait tenir quelque temps.

Après une longue marche dans les dédales du lieu sacré, le minotaure arriva comme prévu à l'entrée est de la grotte. Son instinct l'avait directement guidé au bon endroit. La forte lumière du soleil aveugla le petit groupe et les retint dans leur élan vers la sortie. Juste assez longtemps pour que Lolya détecte quelque chose :

– Ne bougez plus ! ordonna la nécromancienne. Reculez ! Vite !

Le groupe s'exécuta sans poser de questions. Koutoubia se chargea de faire comprendre à Minho de ne plus bouger.

– Que se passe-t-il ? demanda Amos. Tu as vu quelque chose ?

– Regardez là, par terre ! indiqua Lolya. Il y a des dizaines de chauves-souris mortes. Quand la lumière m'a aveuglée, j'ai baissé les yeux et j'ai vu cet animal, juste là, couvert de pustules, qui agonisait au sol. Puis j'ai remarqué qu'il y avait des cadavres de chauves-souris un peu partout…

– Et alors ? s'impatienta un peu Béorf. Elles sont malades ! C'est tout !

– Voilà ce qui m'inquiète ! répondit la jeune Noire. Chez moi, les guérisseurs racontent que les chauves-souris sont sensibles à une variété de maladies propres aux hommes et à plusieurs autres animaux. Si elles sont atteintes d'un mal quelconque, c'est que nous le serons aussi en sortant d'ici.

– Bonne déduction! s'exclama Amos. Si leur sensibilité les fait mourir en premier, cela veut dire qu'elles vous servent d'instrument de mesure afin de prévoir une épidémie?

– Exactement! répondit Lolya. Je crois qu'à l'extérieur d'ici, le pays est infecté par quelque chose de grave… Mais quoi?

– Nous sommes bloqués ici, alors? s'inquiéta Koutoubia. Y a-t-il une façon d'éviter d'être infectés par ce mal?

Lolya prit quelques instants avant de répondre. Elle s'avança vers la chauve-souris morte et l'examina attentivement. Elle retint sa respiration et s'avança vers la sortie pour jeter un coup d'œil à l'extérieur. La nécromancienne se fit rapidement une idée:

– Voilà ce que je pense! Pour répondre à tes questions, Koutoubia, je crois que nous ne sommes pas bloqués ici et qu'il y a un moyen de ne pas être infectés par cette maladie. J'ai remarqué la présence d'une impressionnante quantité de mouches à l'entrée du labyrinthe. Je pense qu'elles transportent avec elles le mal qui a emporté les chauves-souris.

– Il faudrait éviter les mouches, alors? questionna Béorf, perplexe.

– Non, seulement éviter de respirer ! précisa Lolya. Chez moi, on dit que les maladies qui se collent aux mouches volent avec les mouches. Les insectes les répandent dans l'air…

– Eh bien, s'étonna Béorf, alors la seule d'entre nous qui va survivre est Médousa. À part elle, je ne connais personne qui puisse retenir sa respiration bien longtemps !

– Ne t'inquiète pas, Béorf, le rassura Lolya, j'ai une idée…

La jeune nécromancienne déchira six morceaux de tissu de sa robe et fouilla dans ses ingrédients. Elle tira de ses affaires quelques flacons puis commença à préparer un savant mélange. Tout le groupe la regarda s'exécuter en silence. La nécromancienne demeura très concentrée et son habileté à manier les ingrédients impressionna beaucoup Amos. Il n'avait jamais vu son amie travailler aussi habilement.

Au bout d'une bonne quinzaine de minutes, Lolya demanda à Amos d'amener à ébullition le fruit de ses concoctions. Le garçon plaça alors son doigt dans le mélange et, s'aidant du masque du feu, concentra toute sa magie sur son ongle. Une lueur rougeâtre, exactement comme un tison, apparut dans la potion de Lolya. En moins d'une minute, le liquide bouillonna.

La nécromancienne trempa ensuite avec attention les six morceaux de tissu dans sa mixture. Elle prit bien soin de vérifier que le textile était uniformément imbibé, puis elle les plaça à sécher.

— Bon, voilà! Lorsqu'elles seront sèches, ces bandes de tissu nous serviront de masques, expliqua Lolya. Elles contiennent une combinaison de plusieurs poudres et élixirs de protection. Il faudra bien en couvrir votre nez et votre bouche afin que l'air ne passe qu'à travers les fibres. Avec cela, nous pourrons sortir sans crainte et continuer notre voyage.

— Vous êtes certaine de l'efficacité de votre astuce? demanda Koutoubia. Je n'ai pas envie de finir mes jours plein de pustules et agonisant sur la route!

— Je te demande de me faire confiance, lui répondit la nécromancienne. Je crois en l'efficacité de mes préparations et je suis certaine que tu n'attraperas rien de vilain pour ta santé. L'odeur de ma mixture n'est pas très agréable à respirer, mais je garantis son efficacité!

— Il faudrait expliquer à Minho de quoi il en retourne, suggéra Médousa en voyant l'incompréhension dans les yeux du colosse.

— Je vais le faire, s'empressa Amos.

Puis, se retournant vers Lolya, le porteur de masques demanda:

– Dans combien de temps penses-tu que nous pourrons mettre ces masques et prendre la route?

– Dans une heure tout au plus! estima Lolya.

– Très bien, conclut Amos. Reposons-nous tant que nous pouvons encore le faire, je sens que la suite du voyage ne sera pas une partie de plaisir.

Enki avait envoyé sur Terre l'une des pires maladies imaginables: un virus destructeur capable de terrasser les plus fortes bêtes et d'anéantir les meilleures constitutions humaines. Ce mal commençait par causer des migraines et des maux de gorge, puis des caillots se formaient très rapidement dans le sang et ralentissaient l'irrigation des organes. Venaient ensuite, quelques heures après l'infection, des saignements par la bouche, les gencives et les glandes salivaires. Les muqueuses de la langue, de la gorge et de la trachée se détachaient par la suite et pénétraient dans les poumons. Le malade commençait alors à vomir du sang de couleur noire. Une hémorragie des globes oculaires suivait les vomissements pendant que le cœur du malade commençait à ramollir en suintant du sang. En phase terminale, le moribond subissait un détachement des parois intestinales et de fortes convulsions. Des pustules gorgées de sang couvraient finalement son corps au moment de la mort.

À leur sortie de la caverne, les adolescents virent des cadavres d'humains, de chats et de chiens qui gisaient çà et là. Il y avait des enfants morts dans les bras de leur mère, le faciès déformé par la douleur. D'autres bambins, un peu plus vieux, étaient étendus par terre et baignaient dans leur sang. Des troupeaux entiers de moutons, de bœufs et de chèvres cuisaient au soleil dans le mouvement incessant des mouches infectées. La maladie avait fauché des villages entiers et partout le sang des victimes colorait le paysage. Impossible d'échapper au spectacle ! Chaque détour de chemin dévoilait une nouvelle scène d'horreur.

D'un côté, c'était un vieillard moribond, les yeux révulsés et vomissant ses entrailles, qui tendait la main pour demander de l'aide, alors que de l'autre, des familles entières s'étaient passé la corde au cou et, pendues aux arbres, se balançaient lentement au gré du vent.

Et ces mouches ! Il y en avait partout… Elles étaient omniprésentes et angoissantes, repues des déjections infectées de leurs victimes. Impossible de s'en débarrasser ! Elles tournaient constamment autour de la tête d'Amos et de ses amis. Les insectes se posaient lourdement sur les voyageurs en espérant leur transmettre le virus, mais les masques de Lolya offraient une excellente protection.

Pour Amos, l'horreur avait maintenant un visage. Le garçon avait vu des choses terribles depuis sa naissance, mais celle-là les surpassait toutes. Béorf était également sous le choc de cette abomination et Lolya, incapable de sauver quiconque du trépas, pleurait à chaudes larmes en marchant. Médousa, tête basse, avançait dans les traces de Minho en évitant soigneusement de regarder autour d'elle. L'homme-taureau regardait droit devant lui et suivait les indications gestuelles de Koutoubia. De son côté, le guide avait envie de hurler son désespoir et son envie d'être ailleurs.

Cette journée de marche se déroula dans le silence le plus complet. Même lorsqu'il fut temps de préparer le campement, personne ne parla. Amos pensa établir un tour de garde, mais à quoi bon! Tous les habitants du pays étaient morts. Ce soir-là, chacun s'endormit sans manger en espérant que le cauchemar serait terminé à son réveil.

13
La grêle

Une grêle abondante s'était mise à tomber dès les premières lueurs de l'aurore.

De gros morceaux de glace, parfois de la taille d'un œuf, s'abattaient maintenant sur la ville du roi Aratta en détruisant tous les bâtiments. Les maisons étaient en ruine et les murs fortifiés qui protégeaient la cité s'étaient affaissés en créant un terrible tremblement de terre. Aucune construction de pierre, de bois ou de brique n'avait résisté au martèlement constant de cette pluie maudite. La place du marché s'était transformée en une montagne de glaçons qui, en fondant, creusaient de larges rigoles capables d'emporter les plus solides fondations. Le jour était à peine levé et déjà la cité était en ruine.

Dans tout le chaos de cette nouvelle journée, seul le repaire de Barthélémy tenait encore bon. Bien tranquille, le chevalier regardait, sans broncher, s'effondrer la cité autour de lui. Comme le lui avait demandé Zaria-Zarenitsa, il avait sacrifié un de ses hommes tous les matins à la gloire de la déesse. En contrepartie, la divinité avait tenu sa parole et le protégeait des malédictions d'Enki.

Encore ce matin-là, juste avant le lever du soleil, Barthélémy était allé chercher un de ses chevaliers et l'avait jeté hors du refuge. Le pauvre homme avait couru de toutes ses forces vers un abri pour échapper à la grêle, mais un gros glaçon lui avait fracassé le crâne tout juste avant qu'il n'atteigne son but. Il était mort sur le coup, la figure dans la poussière.

Barthélémy avait ainsi sacrifié trois de ses chevaliers aux moustiques, un aux féroces taons, deux aux mouches infectées, et maintenant un à la grêle. Des dix hommes qui avaient survécu aux gobelins et traversé les misères de l'esclavage à ses côtés, il n'en restait maintenant que trois. Trois pauvres chevaliers, ligotés comme des saucissons, qui attendaient d'être sacrifiés à Zaria-Zarenitsa par celui en qui ils avaient eu une confiance aveugle. Ce seigneur qu'ils avaient servi avec fougue et loyauté les avait trompés ! Lui qui aurait dû se sacrifier le premier pour le salut de ses hommes les tuait maintenant un à un. Et pourquoi ? Pour l'amour d'une déesse insensible et égoïste, belle comme le lever du soleil, mais aussi cruelle que la brûlure de ses rayons.

— Bonjour, mon grand chevalier, dit une voix suave derrière Barthélémy.

— Bonjour, belle Zaria, lui répondit le seigneur, envoûté par la mélodie des mots. Je t'attendais avec impatience. Comment vas-tu ce matin?

— Je vais bien, l'assura la déesse. En fait, je vais de mieux en mieux. Ta foi en moi et ton amour amplifient de jour en jour mes pouvoirs. Je suis plus forte grâce à toi.

— Moi aussi, je suis plus fort grâce à toi, confia Barthélémy en prenant Zaria dans ses bras. Je comprends de mieux en mieux ma mission sur Terre et je veux te servir jusqu'à mon dernier souffle. Tu es si belle…

— Merci, lui chuchota Zaria-Zarenitsa à l'oreille, je promets que notre histoire continuera au-delà du temps. À ta mort, tu viendras me rejoindre dans le domaine des dieux et nous régnerons ensemble sur tous les matins de ce monde. Nous serons ensemble la première lumière de la terre.

— Nous deviendrons un symbole d'espoir pour l'humanité, renchérit le chevalier en caressant le doux visage de son amour. Bratel-la-Grande aura son dieu et les chevaliers me prieront chaque matin.

— D'ailleurs, demanda Zaria-Zarenitsa en repoussant tendrement Barthélémy, à ton retour chez toi, comment feras-tu pour prendre le pouvoir des quinze royaumes?

— Je sais quoi faire, annonça l'homme, j'ai eu le temps d'y réfléchir. L'Ordre des chevaliers de la lumière, dont je suis toujours le maître malgré mon absence, changera de nom pour devenir l'Ordre des chevaliers de l'aurore. Nous changerons notre drapeau et nos armoiries. Au lieu d'un soleil arborant ses rayons, nous aurons un demi-soleil, symbole du crépuscule.

— C'est tout! se surprit la déesse.

— Mais non, belle Zaria… la rassura Barthélémy. Je dispose aussi de quelques bons contacts avec une guilde de coupe-jarrets et je ferai assassiner le roi des quinze. Je n'ai pas le temps d'attendre une autre élection! Ensuite, je me présenterai au conseil des chevaliers et deviendrai le nouveau souverain des royaumes unis. Là, j'unirai les forces vives de tous les chevaliers sous l'Ordre de l'aurore. Je disposerai alors de la plus grande armée du monde et nous gagnerons cette terre pour toi. Tu me diras où il faut combattre et je combattrai! Il n'y aura pas de limite à notre force. Nous traquerons le mal et nous ferons triompher le bien. Ta splendeur sera notre guide, ta grâce notre force, et ton amour ma raison de triompher!

– C'est un plan extraordinaire! s'écria la déesse en s'élançant dans les bras du chevalier.

Zaria-Zarenitsa embrassa tendrement le chevalier et, comme la fine rosée du matin, s'évapora dans ses bras.

À ce moment, un des hommes de Barthélémy cria de la pièce d'à côté:

– TU ES FOU, BARTHÉLÉMY! Jamais les dieux ne partagent quoi que ce soit avec les humains! Tu t'es fait avoir par la beauté de cette déesse et tu regretteras longtemps ton amour pour elle!

– Tais-toi! répondit Barthélémy en rigolant. Tu ne sais pas de quoi tu parles! Tu dis cela parce que tu as peur de mourir. Tiens! J'ai une bonne nouvelle pour toi, tu seras le prochain.

– Tu ne réussiras jamais à prendre le pouvoir sur les quinze royaumes des chevaliers, continua l'homme enragé. Tu sais très bien que si le roi meurt, c'est Junos, des chevaliers de l'équilibre de Berrion, qui possède la faveur du conseil. C'est lui qui sera élu!

– Junos sera de mon côté, martela Barthélémy, ou il mourra!

– Tu mettrais à mort celui qui a sauvé Bratel-la-Grande? s'étonna le prisonnier. C'est grâce à lui que notre cité est libre, grâce à lui si nous avons pu reconstruire, et grâce à lui si tu en es le seigneur ! Tu renierais son amitié pour ta déesse égoïste et inhumaine ?

Barthélémy fit quelques pas rapides pour se rendre aux côtés du chevalier récalcitrant. Il le frappa violemment au visage et dit :

– Quand on ne sait pas quoi dire, on se tait ! Je vais te bâillonner afin que tu me laisses réfléchir en paix. Si je t'entends encore une fois, je te coupe la langue. C'est clair ?

Le prisonnier se laissa bâillonner sans pouvoir rien y faire. Il ferma alors les yeux et demanda au ciel une mort rapide et sans souffrance.

***

Il y avait des cadavres partout et Amos marchait seul sur ce tapis morbide. Il faisait sombre et la puanteur des corps en décomposition l'étourdissait. Dans ce paysage sans horizon, le garçon avançait sans but. Il croisa les corps inertes de Béorf, Lolya puis, un peu plus loin, Médousa. Koutoubia, couché en boule, avait été défiguré. Quelques centaines de mètres plus loin, le porteur de masques trouva aussi Minho, complètement démembré.

Le ciel était sombre, sans lumière. Dans ce panorama gris et sans éclat, les âmes des morts émergèrent lentement de leur corps. Un grand fleuve apparut soudainement au centre de la plaine. Ses eaux étaient profondes et malodorantes. De gros bouillons remontaient à la surface en laissant échapper une légère fumée verte. Les âmes des morts s'activèrent et un grand navire de guerre, marqué par d'innombrables combats en mer, apparut au loin. Voguant sur la rivière puante, toutes ses voiles déchirées, le trois-mâts s'arrêta tout près d'Amos et laissa tomber une passerelle.

Les âmes firent alors une longue file et commencèrent à grimper à bord. Le capitaine, un vieillard à la mine sinistre, hurla ses commandements à deux squelettes matelots et, bousculant les âmes qui montaient sur la passerelle, descendit de son bateau. Le vieil homme se dirigea droit sur Amos. Le porteur de masques recula de quelques pas alors que le capitaine s'élançait dans une amicale étreinte.

– Tu ne te rappelles pas? hurla le marin en rigolant. Je suis Charon! Mais non, tu ne peux pas te rappeler!

Amos voulut parler, mais il était incapable d'articuler quoi que ce soit.

– Écoute, mon jeune ami, commença Charon, tu as laissé un bon souvenir à Braha, et ce, même si ton retour dans le temps t'a fait tout oublier! Heureusement, la grande ville des morts n'oublie rien, elle! Ha! ha! ha! Refuser de devenir un dieu… c'est bien toi, ça!

Le porteur de masques ne comprenait rien à tout ce charabia. Il aurait aimé demander des précisions, mais en était incapable. Ses lèvres étaient scellées!

Le capitaine poursuivit son monologue:

– Sois aux aguets, jeune Amos, car Arkillon t'enverra bientôt un cadeau. Ne me demande pas comment, je l'ignore. Ce présent te sera utile pour… enfin… pour, ton voyage… enfin, je ne peux rien te dire! Mon jeune ami, ta place n'est pas parmi les morts! Enfin, pas encore… Ce fut un plaisir de te revoir. Ouvre les yeux, maintenant. Ah! oui, tu as le bonjour de l'Ombre et d'Ougocil!

Le porteur de masques se réveilla en sursaut. Il avait le souffle court et son cœur galopait dans sa poitrine. Amos regarda nerveusement autour lui: tout semblait normal. Pas de morts, pas de bateau ni de rivière et encore moins de capitaine à l'allure inquiétante. Il avait fait un cauchemar…

Amos s'ébroua pour chasser les images du mauvais rêve de son esprit. Béorf et Minho ronflaient comme des sonneurs, Lolya et Koutoubia dormaient paisiblement alors que Médousa regardait les dernières étoiles de la nuit disparaître dans les premières lueurs du matin. La gorgone n'avait pas ses lurinettes sur les yeux. Sans se retourner vers son ami, elle demanda à voix basse :

– C'est toi, Amos ?

– Oui, confirma le garçon. J'ai fait un horrible cauchemar… Et toi, tu ne dors pas ?

– Je suis réveillée depuis une heure environ, lui confia Médousa. Tu sais, j'aime beaucoup regarder les étoiles. J'aime enlever mes lurinettes pour voir le monde avec mes véritables yeux. Cela me repose. Les gorgones sont des créatures de l'obscurité et, depuis que je fais route avec vous, mon système est tout retourné ! Alors il arrive parfois que je me réveille en plein milieu de la nuit. C'est mon cycle naturel qui me rattrape !

– Depuis quelque temps, nous savons au moins que la nuit est sûre, remarqua Amos. C'est le jour que les malheurs surviennent ! Je me demande ce que cette nouvelle journée nous réserve…

– Difficile à dire… soupira Médousa. Il semble bien que les dieux ne manquent pas d'imagination pour faire souffrir les hommes. Tu veux bien me raconter ton cauchemar ?

– Ah ! non, il est trop déprimant ! répondit Amos. Mais je peux te dire qu'un vieux capitaine de bateau m'a confié qu'un certain Arkillon me ferait parvenir un cadeau.

– Tu le connais, cet Arkillon? demanda la gorgone, intriguée.

– Pas du tout! rétorqua le garçon. Par contre, j'ai le souvenir d'une histoire de Sartigan au sujet d'un ancien porteur de masques. Son nom ressemblait à cela…

– Eh bien! lança Médousa en s'étirant. Quelqu'un qui apparaît dans un rêve pour te dire que tu vas recevoir un cadeau, je n'appelle pas cela un cauchemar! Je vais chercher du bois pour allumer un feu et faire bouillir un peu de l'eau de nos réserves. Tu m'accompagnes?

– Laisse, offrit le garçon. Profite bien des dernières étoiles, je vais le faire.

– Si tu insistes… je te laisse le boulot avec plaisir!

Amos se leva et marcha un peu autour du campement. Il ramassa quelques bouts de bois, mais son attention fut vite attirée par une forme humaine un peu plus loin. Ses yeux n'arrivant pas à percer la grisaille de ce nouveau matin, il s'approcha avec précaution.

Amos découvrit une statue représentant un elfe. Taillée dans de la pierre noire, la sculpture était d'une très grande beauté et avait un air familier. L'elfe immobile présentait au garçon un coffret de bois finement décoré. Suivant son impulsion, Amos saisit délicatement l'objet.

Au moment où l'écrin fut en possession du porteur de masques, un fort vent se leva et balaya la statue grain par grain. Comme une fine poudre emportée par le vent, la représentation de l'elfe se décomposa et disparut dans la bourrasque.

Amos pensa alors à son cauchemar. C'était peut-être le cadeau qu'on lui avait annoncé? Le garçon ouvrit alors le coffret et y découvrit quatre pierres. Devant ses yeux scintillaient un rubis, un diamant clair et translucide, un saphir et une tourmaline noire et striée.

Sous le choc de cette surprise, le porteur de masques demeura bouche bée. S'agissait-il de véritables pierres de pouvoir? Quatre en même temps?

Comme Amos se questionnait sur cet étrange cadeau arrivé de nulle part, un gros morceau de glace venu du ciel atterrit à ses pieds. Aussitôt, le garçon leva la tête vers les nuages et comprit qu'une grêle mortelle tomberait bientôt sur le pays. Il déguerpit pour alerter ses amis:

– Debout tout le monde! hurla Amos. Une forte grêle tombera bientôt sur tout le pays et je n'ai pas envie de me faire assommer!

– Il nous faut un endroit pour nous cacher… lança Béorf encore tout endormi. Une fois en sécurité, nous pourrons faire une sieste!

— Je ne vois rien autour pour nous abriter, s'inquiéta Lolya en bondissant de sa couche. Et toi, Koutoubia?

— Dans cette région, il n'y a rien, confirma le guide. Pas de grottes ou de cavernes! Le dernier village que nous avons traversé est à une heure de marche, et il n'y a que des pâturages devant nous...

À ce moment, quelques glaçons tombèrent du ciel et éclatèrent brutalement en mille morceaux au centre du campement. La tempête de glace était imminente.

— Il faut trouver quelque chose, s'écria Médousa, paniquée. Nous aurons tous le crâne défoncé et les os brisés dans quelques minutes.

— Je ne vois qu'une solution, dit finalement Amos. J'intègre ces pierres et nous allons bien voir ce qui va se passer!

— Mais, s'étonna Béorf, où as-tu trouvé cela? Ce sont des pierres de puissance?

— Je t'expliquerai plus tard où je les ai trouvées, répliqua Amos. Et j'espère que ce sont bien des pierres de puissance, car c'est là notre seule option pour survivre à la grêle! Je dois accentuer mes pouvoirs pour nous sortir de ce mauvais pas. Il me faut créer un dôme de protection ou... ou quelque chose du genre!

– Tu vas toutes les intégrer ? interrogea le gros garçon. Toutes en même temps ?

– En même temps ! lança Amos, décidé.

– Tu risques de perdre le contrôle, tu le sais, ça ? lui rappela Béorf, inquiet.

– Oui, je sais… Tu as une meilleure solution ?

La grêle avait commencé à tomber et s'amplifiait de seconde en seconde. Amos saisit alors le rubis et, ne sachant pas comment l'intégrer à son masque, le regarda avec circonspection. À sa grande surprise, il vit que la pierre commençait à se liquéfier et à pénétrer dans la paume de sa main.

– Je ne croyais pas que c'était aussi simple ! s'étonna le porteur de masques. Allez, je prends toutes les pierres…

Le diamant, le saphir et la tourmaline allèrent rejoindre le rubis dans la paume du garçon et commencèrent à fondre doucement. Amos sentit alors une force envahir son corps. C'était une brûlure intense qui se répandait dans son sang et se frayait un chemin jusqu'à son cœur. Le porteur de masques eut envie de crier, mais la douleur lui paralysait la gorge et les poumons.

La grêle commença à tomber de façon continue.

Le porteur de masques était maintenant en convulsions et s'agitait frénétiquement sur le sol. C'était trop de puissance magique en un seul coup !

— Qu'allons-nous faire ? demanda Koutoubia, désespéré. C'est notre fin ! Notre heure est venue ! Nous allons tous mourir !

De gros grêlons s'abattirent sur le groupe en blessant légèrement Lolya à la tête et Minho à la jambe.

— C'est la fin ! lança le guide. La fin de tout ! Mais… mais qui est cet homme ? Là, juste derrière Amos !

Les adolescents se retournèrent et aperçurent Mékus Grumson, le protecteur de l'Éther, penché sur le porteur de masques.

L'élémental saisit le garçon et le tint solidement contre lui. Les convulsions diminuèrent et Amos retrouva le calme. Mékus se fondit alors en lui et prit possession de son corps.

Tout autour des voyageurs, une forte chaleur s'éleva ensuite de la terre et un tourbillon de vent vint les entourer. Il s'ensuivit une fine pluie rafraîchissante, comme la bruine du bord de mer, qui humecta doucement leur peau. Amos se leva et dit, très calmement :

— Voici la puissance des forces de l'Éther ! De la terre, j'ai fait naître la chaleur qui, portée par le vent, fait fondre la glace qui vous menace. J'ai découpé l'eau en légères gouttelettes et l'ai mêlée à l'air pour…

— Ça va, Amos? coupa Béorf, inquiet. Tu n'as pas l'air très bien…

— Je ne suis pas Amos, mais Mékus, répondit le garçon. Je suis en lui et j'harmonise sa magie. Votre ami est trop téméraire et manque de sagesse. Intégrer quatre pierres d'un coup est pour n'importe quel porteur de masques un véritable suicide. Heureusement, j'ai été averti et je me suis présenté à temps.

— Qui est-ce? Qu'est-ce qui se passe ici? demanda Koutoubia, subjugué.

— Nous t'expliquerons plus tard, répondit Lolya. Mékus est un ami que nous avons rencontré avant notre arrivée à Arnakech.

Minho, indifférent aux conversations, beugla de joie en savourant le bonheur d'être aspergé par cette douce pluie. Il sortit la langue et lécha goulûment le bout de son museau pour s'humecter la bouche. Mékus sourit avec tendresse et dit:

— Je vous accompagnerai toute la journée et assurerai votre sécurité. Amos doit se remettre du choc des pierres de puissance et son esprit est bien présent avec moi. Ne vous inquiétez pas pour lui, nous travaillons en même temps que je vous parle à la nouvelle harmonie des pierres de puissance. Marchons vers la tour d'El-Bab, la grêle qui tombe sur le pays ne nous touchera pas.

14
Les sauterelles

Le réveil fut brutal pour Amos et ses compagnons de voyage. Pas encore de répit : tout le groupe dut fuir le campement à toutes jambes.

En cette septième journée de la colère d'Enki, des millions de sauterelles tombaient maintenant du ciel. Koutoubia et Minho devançaient le groupe en essayant de repérer un refuge, mais les endroits pour se cacher semblaient inexistants.

Les insectes étaient affamés et cherchaient désespérément de la nourriture. La moindre petite plante verte était déchirée, mastiquée et avalée à grande vitesse. Aucun grain de blé, de maïs, d'orge ou de riz ne fut épargné. La grêle de la veille avait abattu les tiges des végétaux, et les sauterelles s'attaquaient aujourd'hui aux semences. Des nuages entiers de ces petites bêtes chutaient du ciel comme une lourde pluie et se répandaient partout dans le pays de Sumer.

– Je suis fatigué de tout cela! hurla Béorf en se protégeant la figure des insectes. J'aimerais avoir une journée de paix!

– Moi aussi! Il n'y a rien pour nous abriter autour d'ici! remarqua Amos en secouant la tête. Les maisons ont toutes été détruites par la grêle et…

– Ici! l'interrompit Koutoubia en pointant quelque chose. Voici un lieu sûr!

Le guide avait remarqué, derrière la maison en ruine d'un fermier sumérien, les formes distinctives d'un grenier sous-terrain. Creusé dans la terre pour garder la fraîcheur et l'humidité des aliments scellés dans des jarres, l'endroit semblait en assez bon état pour accueillir tout le groupe. La grêle l'avait beaucoup endommagé, mais le lieu était idéal pour se protéger de l'invasion.

Minho se précipita sur la trappe du plancher et l'ouvrit d'un coup. Il fut immédiatement renversé par des milliers de sauterelles qui enjaillirent toutes en même temps.

– Attention, je fais le ménage! avertit Amos en pointant la main vers la cavité.

En utilisant les pouvoirs du masque du feu qui était maintenant serti de deux pierres de puissance, il fit s'enflammer les insectes présents dans le grenier sous-terrain. Des centaines de petites explosions, s'enchaînant les unes après les autres, vinrent éclairer un minuscule escalier de terre battue. Lorsque le porteur de masques fut certain que toutes les sauterelles avaient bien brûlé, il produisit magiquement un vide d'air dans le trou. En créant cet effet de vacuum, toute la poussière et les cendres d'insectes furent évacuées d'un coup !

Amos saisit alors un bout de bois qu'il transforma en torche.

– Descendons vite ! suggéra Amos en présentant le flambeau à Béorf.

L'hommanimal s'en saisit et descendit le premier. Les autres lui emboîtèrent vite le pas. Lorsqu'ils furent tous entrés, le porteur de masques ferma la trappe derrière eux et, de l'intérieur, ordonna aux grains de sable de sceller les ouvertures. Comme par magie, la terre obéit et recouvrit les brèches dans la seconde. Amos prit alors bien soin de creuser avec sa magie une unique prise d'air.

Devant le petit trou qu'il venait d'excaver, Amos appela les services d'un pelleteur de nuages. Un petit bonhomme tout constitué d'air, rond comme une pomme, les yeux exorbités et portant une large pelle sur son épaule, se matérialisa devant le garçon. Le jeune magicien lui ordonna alors :

— Aucun insecte ne doit entrer par ce trou ! Ta tâche est de faire circuler l'air et de t'assurer que nous respirions bien !

Le petit bonhomme opina du bonnet et commença immédiatement à pelleter l'air vicié à l'extérieur en s'assurant bien qu'il soit remplacé par de bonnes bouffées fraîches. Quelques sauterelles essayèrent de s'infiltrer dans l'ouverture, mais sans succès. Le pelleteur de nuages les assomma à tour de rôle avant de les souffler vers le dehors.

— Voilà ! s'exclama Amos. Nous serons un peu débarrassés de ces maudits insectes !

— WOW ! lança Lolya, impressionnée. Tes pouvoirs ont vraiment décuplé !

— Je ne sais pas ce que Mékus m'a fait, expliqua Amos, mais sa présence a tout harmonisé en moi ; je n'ai jamais senti la magie circuler aussi bien dans mon corps. Je sais d'instinct quel sort je peux lancer, je connais mieux mes limites et mes forces…

— C'est une chance que Mékus soit venu à ton aide ! l'interrompit Médousa.

— Je serais mort sans lui, avoua Amos. Je me rends bien compte que je lui dois la vie. Sans son intervention, les quatre pierres de puissance m'auraient déchiré de l'intérieur. J'ai agi comme un imbécile en voulant les intégrer toutes à la fois… Je n'avais pas conscience de ce que je faisais, j'étais trop paniqué. Sartigan ne serait pas très fier de moi! Lui qui prêche pour l'intelligence et le jugement dans l'action…

— Oui, mais sans ton réflexe, ajouta Lolya, nous aurions tous été tués par la grêle! Tu as fait ce que tu croyais le mieux, et ce sont les conséquences de ton erreur qui nous ont sauvé la vie…

— C'est bien vrai que, sans l'arrivée de Mékus, continua Béorf, nous n'aurions pas fait très long feu.

— Grâce à lui, poursuivit Médousa en croquant une sauterelle grillée, nous sommes tous réunis et en sécurité! Quelqu'un en veut? J'en ai ramassé quelques-unes comme collation avant d'entrer…

— Sans façon, refusa Béorf, dégoûté.

Koutoubia s'approcha d'Amos et lui demanda:

— Vous semblez très bien vous porter depuis ce matin. Notre réveil fut plutôt brutal et je m'inquiétais…

— Je me suis réveillé dans une forme exceptionnelle! répondit Amos. J'ai l'impression d'avoir dormi une journée entière.

— Très bien, se réjouit le guide. Que comptez-vous faire? Affronter les sauterelles et poursuivre notre chemin ou rester ici et peut-être voyager cette nuit ?

– Sommes-nous près de la tour ?

– Deux bonnes journées de marche, estima le guide. Deux pénibles journées pendant lesquelles nous n'aurons rien à boire ni à manger, car nos réserves sont à sec. À moins, bien sûr, d'engloutir des sauterelles comme Médousa ! Cependant, même affaiblis, nous ne risquons pas de nous perdre. J'ai clairement vu El-Bab avant d'entrer ici. Il nous suffira de marcher directement vers la tour !

– Bonne nouvelle ! s'écria Béorf. Nous arrivons enfin à cette satanée tour ! J'en ai assez de ce voyage et des surprises que nous devons affronter chaque matin. Nous sommes parvenus jusque-là à nous sortir des pires pétrins, mais ce petit jeu commence à me taper sur les nerfs ! Puis… puis j'ai faim !

– Et moi, continua Lolya, j'ai terriblement soif… ma gourde est presque vide.

– Si vous voulez mon avis, enchaîna Médousa, j'opte pour le voyage de nuit. Nous économiserons l'eau à marcher dans la fraîcheur du soir et, bien personnellement, je préfère les étoiles au soleil !

– Je suis d'accord, acquiesça Amos. Restons ici pour la journée. De toute façon, nous ne pouvons rien faire contre cette épidémie de sauterelles.

– Alors voici ce que je propose pour passer le temps, dit Lolya en sortant un petit sac d'osselets. Je vais lire votre avenir…

La jeune nécromancienne connaissait plusieurs façons d'interroger l'avenir, mais sa préférée demeurait l'utilisation des osselets. Cet art, appelé la géomancie, consistait à deviner l'avenir en jetant par terre des cailloux, des dés ou tout autre petit objet arborant une forme ou une figure distinctive. Dans sa tribu d'origine, les chamans Dogons utilisaient souvent des cauris. Ces petits coquillages avaient constitué anciennement la première monnaie de son peuple et ils servaient maintenant d'objets sacrés pour l'art divinatoire. Lolya appelait ce rituel magique «frapper le sable». En lançant ces huit bouts d'ossements, chacun marqué d'une figure différente, elle invoquait la déesse primaire, créatrice de la terre, et demandait qu'elle ouvre un court instant les voiles de l'avenir. L'art de la jeune Noire consistait ensuite à décoder l'agencement des signes et à interpréter leur position les uns par rapport aux autres.

– Mon peuple accorde une très grande valeur religieuse au fait d'utiliser les osselets, expliqua Lolya. Dans nos rites, les grands chamans ont même des costumes complets faits de petits bouts d'ossements. Ils s'en servent dans les rituels magiques de guérison ou de possession. Sur le plan symbolique, les osselets représentent aussi la féminité, et les prêtres les utilisent dans les rites de fécondité.

— Et comment cela fonctionne-t-il? demanda Médousa, intriguée.

— Il faut poser une question aux osselets en les manipulant doucement entre tes mains, énonça la jeune nécromancienne. Ensuite, tu les lances au sol. Sans connaître ta question, j'interprète leur position et je te donne une réponse. C'est simple et très amusant et… cela nous fera passer le temps.

— D'accord, s'excita la gorgone, c'est moi qui commence.

— Prends les osselets dans ta main et pose ta question, continua Lolya.

Médousa ferma les yeux, amena les osselets près de sa bouche et demanda si, malgré son apparence menaçante et la mauvaise réputation de son espèce, elle allait un jour être acceptée des humains. Elle lança ensuite les petits bouts d'ossements par terre.

— Tu vois, interpréta Lolya, j'ai ici le symbole de l'œil et de la pierre. Cela veut dire qu'il te faudra toujours être plus belle que les autres et plus diplomate que la majorité des gens si tu veux que ton désir se réalise. Il te faudra aussi prendre conscience que les personnes que tu rencontreras te jugeront d'abord sur ton apparence et non sur tes qualités. Il te faudra toujours faire plus que les autres, donner sans cesse davantage de toi-même et chercher constamment à mieux te faire connaître. Pour réaliser ce que tu as demandé, il te faudra une vie entière sans aucune garantie de succès. Moi, je te conseille d'abandonner cette voie et de rester celle que tu es, envers et contre tous. Tu seras plus heureuse de cette façon!

– WOW! s'exclama Médousa. Tu es vraiment géniale! C'est exactement ce que j'avais besoin d'entendre! Et ton analyse des signes répond parfaitement à ma question.

– À moi maintenant! s'interposa Béorf en saisissant les osselets.

Le gros garçon demanda s'il allait devenir un chef digne de son père et de son oncle pour le village d'Upsgran. Lolya interpréta ensuite son jet:

– Intéressant! s'exclama la nécromancienne. Je vois ici deux symboles, soit la plume et le couteau. Il faudra que tu fasses ressortir en toi des talents qui dorment encore et hésitent à se dévoiler au grand jour. Tu as hérité des dons d'orateur et d'écrivain. Si tu veux que ton désir se réalise, il faudra que tu travailles davantage sur ces deux pôles. Dans l'avenir, il te faudra convaincre et expliquer, prendre position et argumenter avec force et vigueur. Tu as en toi l'épée du vent qui tranche par le verbe. Ça répond à ta question ?

— Oui, répondit Béorf, troublé. Mon père était comme ça, un homme de lettres qui ne sortait son épée qu'en tout dernier recours. Sa force résidait dans la connaissance et dans le pouvoir de convaincre. Ce que tu viens de me dire est très cohérent par rapport à ma question…

— Amos maintenant ? demanda Lolya en présentant les osselets au garçon.

— Je ne veux pas savoir, refusa poliment le porteur de masques. Pour l'instant, j'ai trop de questions et trop d'incertitudes… Peut-être que Minho voudrait jouer ?

Amos plaça ses oreilles de cristal et expliqua le jeu au minotaure. L'homme-taureau accepta très solennellement de participer. Le porteur de masques prêta alors ses oreilles à Lolya, et Minho s'exécuta. Le colosse demanda aux osselets, suivant le code d'honneur de sa culture, s'il allait mourir en héros ou en lâche.

Lolya lui expliqua qu'elle voyait deux symboles dans son jet : la plume et l'animal. Sans savoir ce que Minho souhaitait, elle pouvait affirmer qu'il obtiendrait à l'avenir beaucoup plus que ce à quoi il s'attendait. Il portait en lui l'esprit de l'animal, ce qui supposait une montée fulgurante dans la hiérarchie de son peuple et une domination des structures sociales. Le minotaure sourit et conclut qu'il ne mourrait pas en poltron, mais en chef. Pour lui, rien n'avait autant d'importance que de vivre la tête haute en sachant que son honneur ne fléchirait jamais et que la fierté le suivrait jusqu'à son dernier souffle. Content, Minho se retira pour laisser la place à Koutoubia.

Le guide, très excité, demanda aux osselets s'il vivrait encore de grandes aventures et s'il verrait de nombreux pays. Plein d'entrain, il lança les os avec ferveur. Lolya prit quelques instants pour remettre les oreilles de cristal à Amos et se pencha sur le résultat.

La nécromancienne toussota puis, mal à l'aise, regarda Koutoubia avec un sourire forcé. Elle tapota ensuite un peu l'osselet représentant une maison, puis celui marqué d'une plume. S'éclaircissant la voix, elle dit :

– Je pense que je commence à perdre ma concentration… euh… Je ne sais pas trop quoi dire, sinon que le voyage a commencé pour toi et que tu verras bientôt des lieux merveilleux. Tu traverseras des contrées nouvelles et expérimenteras des sensations neuves… euh… Quelque chose de nouveau commence pour toi et j'espère que tu seras heureux… Disons que tout sera désormais plus facile dans ta nouvelle existence.

— Merci! lança Koutoubia en débordant de joie. Je savais bien que j'avais pris la bonne décision en vous accompagnant. J'ai pensé à retourner à Arnakech pour y vivre en paix, mais l'aventure m'appelle et, malgré les difficultés, je veux vous accompagner partout où vous irez! Cela répond merveilleusement bien à ma question!

— Je suis contente, répondit Lolya avec émotion. Si vous le voulez bien, nous arrêterons le jeu maintenant…

— Mais, se récria Médousa, j'avais d'autres questions! On ne fait que commencer, non?

— Je suis trop fatiguée pour poursuivre, répliqua Lolya. Peut-être plus tard…

Amos se pencha alors sur son amie pour l'aider à ramasser ses osselets et lui murmura à l'oreille:

— Qu'est-ce qui se passe? Qu'est-ce que tu as vu dans l'avenir de Koutoubia que tu ne peux pas lui dire?

Lolya regarda Amos dans les yeux et, en versant une larme, lui répondit:

— Il sera mort dans deux jours…

15
Les ténèbres
et les premiers-nés

Il y a des choses dans le monde que nous croyons acquises, des événements dont la régularité ne nous surprend plus. La lumière du soleil est une de ces choses-là. Pour chacun, il est normal de voir le soleil se lever chaque matin et se coucher chaque soir. La lumière fait partie de la vie ; elle chasse l'obscurité, fait disparaître l'ombre et transperce l'opacité des ténèbres. Dans plusieurs cultures, elle symbolise la connaissance et la purification, la vie et l'ordre. Seulement, lorsque cette lumière disparaît et que les ténèbres s'installent à sa place, son absence entraîne le chaos.

Pour la première fois de l'histoire du monde, en cette huitième journée de la colère d'Enki, le soleil refusa de se lever !

Sur toute la terre, ce fut la terreur. Partout, d'un continent à l'autre, les hommes connurent l'angoisse de la nuit éternelle. Les créatures du jour, celles qui puisent leur force et leur vitalité dans l'astre solaire, tombèrent à genoux en suppliant leurs divinités de leur accorder miséricorde. Les temples et les lieux sacrés furent envahis de fidèles inquiets réclamant des explications aux prêtres. Les rues des villes se vidèrent, laissant la place aux créatures de la nuit.

Des peurs paniques irrationnelles et troublantes explosèrent dans tous les royaumes des hommes et provoquèrent une anxiété générale. La peur de mourir se répandit comme une traînée de poudre dans plusieurs grandes villes et des centaines de personnes connurent des moments de folie passagère. Des hommes se lancèrent en bas des ponts en hurlant leur désespoir, pendant que des familles entières, certaines d'être condamnées à disparaître, se donnaient la mort dans d'horribles conditions. Plusieurs religions offrirent des sacrifices humains et animaux afin que la lumière revienne, et bon nombre se crurent définitivement abandonnées des dieux.

Les théories les plus folles se mirent alors à circuler aux quatre coins du monde. On disait qu'un monstre de taille démesurée avait avalé le soleil. À l'est, on le décrivait comme un vorace dragon alors qu'au sud, on affirmait qu'il avait la forme d'un tigre céleste. On crut aussi à un retour des géants et des titans. Ces premiers habitants de la terre, qui avaient été chassés par les dieux, revenaient peut-être reprendre leur place dans le monde?

Afin de réveiller les divinités endormies et les héros des temps anciens, des villes entières commencèrent à frapper ensemble ustensiles et casseroles, épées et boucliers, en plus de faire sonner les cloches des temples. Ces appels aux valeureux démiurges, aux personnages de légende et aux figures intrépides des différentes croyances et religions demeurèrent sans réponse. Dans l'esprit de plusieurs fatalistes, le mal avait déjà triomphé, et toute tentative d'échapper à son emprise était inutile.

Les poètes et les artistes virent dans cette longue nuit les conséquences des jeux amoureux entre le soleil et la lune. Un grand homme de lettres écrivit dans un sonnet que les amants lumineux jouaient à cache-cache et que le soleil s'était dissimulé pour mieux surprendre sa compagne. Il proclama que de leur passion naîtraient de nouvelles étoiles, de minuscules points de lumière prêts à grandir pour remplacer un jour leurs parents.

Geser Michson, toujours auprès de Maelström, n'entendit pas de cris de panique et ne lut pas de poèmes lyriques. Il profita de la nuit et fit sortir pour la première fois son protégé de la grotte. Le Béorite savait que le jeune dragon avait besoin de s'étirer les ailes et de voler autour d'Upsgran. Comme le soleil refusait de se lever, personne ne verrait la bête de feu se dégourdir dans le ciel. Pour Geser, cette longue journée sans lumière fut la plus belle de sa vie. Il resta à contempler l'ombre de Maelström qui s'amusait dans les airs en imaginant ses pirouettes et ses plongées vers la mer.

De son côté, Harald aux Dents bleues convoqua ses premiers lieutenants et demanda que l'on prépare rapidement une expédition à la montagne de Ramusberget. Était-ce la malédiction refaisant surface? Un autre dragon était peut-être revenu? Le roi devait assurer la sécurité de ses territoires et, comme personne ne savait véritablement que faire pour ramener le soleil, il expédia une troupe de valeureux Vikings pour enquêter.

Plus loin, sur l'île de Freyja, Flag Matran Mac Heklagroen, le chef des Luricans, crut à une ruse malveillante de la déesse envers son peuple. Pour les Luricans, le moment était venu de reprendre leur bout de terre et d'en assumer à eux seuls le contrôle. En cette longue nuit, ils allaient chasser Freyja de l'île et commencer une nouvelle vie. Comme avant, ils allaient construire leur maison à la surface et voir galoper leurs chevaux tous les jours. Flag ordonna le démantèlement immédiat des dolmens de la divinité, premier pas vers la libération de son peuple !

À Berrion, Junos se présenta aux portes du bois de Tarkasis afin d'y rencontrer les fées. Le seigneur avait besoin d'explications sur ce phénomène et Gwenfadrille allait peut-être pouvoir lui en donner. Il se heurta malheureusement au silence des fées. Personne ne lui porta attention car, réunies en conseil, les fées débattaient déjà du problème. Plusieurs reines de nombreux territoires s'étaient matérialisées à Tarkasis et la peur animait les débats. Était-ce le retour du grand cycle des êtres de la lune ? Une attaque des forces de l'obscur ? Personne ne possédait le moindre indice…

Le gros seigneur Édonf du royaume d'Omain ordonna, par la voix d'un crieur public, que celui où celle qui avait pêché le soleil le retourne immédiatement à sa place. Des légendes du pays racontaient en effet l'histoire d'un pêcheur qui, un jour, avait bien involontairement attrapé le soleil dans un de ses filets. Croyant qu'il s'agissait d'un fait réel et non d'un conte poétique pour endormir les enfants, Édonf envoya ses hommes fouiller chaque maison et chaque bateau. Ses gardes ne trouvèrent rien et durent subir les invectives de leur maître. Le gros seigneur demanda ensuite à ce qu'on lui amène Amos Daragon dans les plus brefs délais. Il le soupçonnait d'être en dessous de l'affaire. On rappela à Édonf que le garçon était parti depuis longtemps et que, avant de s'en aller, il l'avait délesté de plusieurs pièces d'or. Le seigneur se remémora les événements et, rouge de colère, eut un malaise cardiaque. Heureusement pour lui, il survécut à cette attaque.

Annax Crisnax Gilnax et ses amis grissauniers considérèrent cet événement comme un signe. Depuis leur départ des salines, rien n'avait très bien fonctionné. Les gens importants refusaient de les rencontrer et les riches marchands se moquaient d'eux. Personne ne voulait croire que ces petits êtres gris aux grandes oreilles possédaient le secret de la fabrication du sel. On flairait l'arnaque et les bourses restaient bien fermées. Après tout, se disait Annax, le monde à l'extérieur des murs des salines n'était peut-être pas fait pour eux. Ils étaient sans doute trop fragiles, trop délicats pour affronter la sauvagerie, la méfiance et l'hypocrisie des hommes. Chez eux, ils étaient prisonniers des murs, mais libres de tracas et toujours en sécurité.

À la suite de ce prolongement inhabituel de la nuit, Nérée Goule plaça Volfstan sur un pied d'alerte! La guerrière pensa avoir affaire à une ruse des barbares pour s'emparer de la ville. Depuis la visite du roi Ourm le Serpent rouge, la grosse femme avait été décorée et citée plusieurs fois en exemple auprès des autres chefs de village. Des rumeurs avaient commencé à circuler et on disait que le roi avait une relation secrète avec Nérée. D'autres prétendaient que cette femme n'était pas ce qu'elle laissait supposer! En vérité, disaient-ils, c'était une créature capable de se transformer en un monstre plus fort qu'un bataillon de Béorites et plus rapide que le battement des ailes d'un colibri. Bref, tout au long de cette longue nuit, Nérée demeura sur les remparts à attendre l'attaque de ses ennemis. Jamais ils ne se présentèrent…

Sur toute la terre, un seul rayon de soleil traversa l'obscurité pour éclairer El-Bab et la faire s'illuminer de mille feux. D'aussi loin que les hommes purent voir, des plus hautes montagnes jusque dans les déserts les plus plats, ils aperçurent le faisceau lumineux et nombreux furent ceux qui y virent un signe.

Clans, ethnies, peuples et peuplades, tribus et familles se mirent en marche pour atteindre la grande tour. Tous ces nouveaux pèlerins, venus de régions lointaines et de territoires excédant largement le pays de Sumer et les contrées de Dur-Sarrukin, allaient devenir une nouvelle nation, celle de Enmerkar !

Le grand prêtre eut alors une vision. Autour d'El-Bab, ces gens allaient grandir dans la foi du dieu unique et dans l'adoration de son image. Ils loueraient la lumière d'Enki par des fêtes et des danses, par de la musique et des prières. D'immenses bûchers seraient allumés partout et des rites de purification y prendraient place. Un nouveau monde se préparait à émerger, un monde neuf mené par une croyance unique capable des pires atrocités au nom de la vérité. Un monde sans place pour la diversité et l'éclectisme, où le dogme religieux causerait de multiples souffrances et d'innombrables morts. Un monde où la libre expression serait refoulée et où la dissidence deviendrait synonyme de torture. Ce monde allait bientôt naître et Enmerkar, seul représentant de son dieu sur terre, serait l'unique détenteur du pouvoir. Voilà pourquoi le grand prêtre d'El-Bab passa cette sombre journée à rire du haut de sa tour.

Le lendemain, lorsque le soleil réapparut sur le monde, une dernière catastrophe s'abattit sur l'humanité. Tous les premiers-nés, héritiers et héritières des empires humains et des royaumes oubliés, princes et princesses des domaines enchantés et des duchés plus modestes, futurs monarques des terres sauvages et prochaines souveraines des forêts luxuriantes moururent avant de contempler le jour. Cette dernière malédiction d'Enki emporta tous les premiers-nés de tous les rois du monde.

Ce grand malheur révéla aussi les origines de Koutoubia Ben Guéliz. Le jeune garçon, originaire d'Arnakech, était en réalité le fils illégitime du grand calife de la ville. Fruit des amours interdites d'une simple et modeste vendeuse de fruits et du fils aîné de la famille royale, Koutoubia s'était toujours cru orphelin. Lorsqu'on avait appris au palais l'existence d'un enfant illégitime, des gardes s'étaient emparés de la femme et de l'enfant pour les mettre à mort. La mère avait été sauvagement poignardée et on avait abandonné le bébé aux chacals du désert. Le nourrisson avait été miraculeusement sauvé par une famille modeste de commerçants de la ville; c'est ainsi que Koutoubia avait grandi comme un garçon des rues en ignorant tout de ses véritables origines. Or, bien que sans reconnaissance officielle, il était bel et bien le premier fils du calife d'Arnakech et l'héritier du trône.

Lorsque Amos le trouva, Koutoubia était déjà mort.

Amos le secoua plusieurs fois, mais sans résultat. Le guide était impossible à réveiller. Entouré de Béorf et de Médousa, le porteur de masques paniqua et commença à le remuer de plus en plus violemment. Lui ordonnant d'ouvrir les yeux, Amos continua son manège jusqu'à ce que sa peine le paralyse… jusqu'à ce que la souffrance lui déchire le ventre… jusqu'à ce que l'écho de ses cris traverse la vallée… jusqu'à ce qu'il comprenne qu'il ne pouvait plus rien faire pour son ami. Le cœur du guide s'était arrêté sous l'effet de la malédiction d'Enki. Son corps reposait normalement sous sa couverture, mais son âme s'était envolée. Le visage calme et serein, on aurait même dit qu'il souriait doucement. Il avait quitté le monde des hommes pour rejoindre les gens de son peuple, au-delà des univers accessibles aux mortels. Koutoubia avait succombé à la malédiction et Lolya l'avait prédit…

Béorf et Médousa tombèrent dans les bras l'un de l'autre en pleurant à chaudes larmes. La gorgone, sur le bord de l'hystérie, hurla de rage et d'incompréhension. Minho, tête basse et l'air affligé, regarda Amos déverser des rivières de larmes sur le corps du jeune guide. Cette situation semblait impossible à croire! Hier encore, Koutoubia était là, parmi eux, bien vivant et souriant! Maintenant, tout était fini, et son nom n'évoquerait plus que des souvenirs.

Plus jamais Amos ne verrait le sourire de son guide et plus jamais ce dernier ne surgirait devant lui pour lui indiquer un chemin, lui conseiller une route ou l'avertir d'un danger. Son humour et sa joie de vivre ne seraient plus jamais là, à toute heure du jour, pour accompagner les misères et les épreuves du voyage. Ce grand silence autour des adolescents allait créer un vide à l'intérieur du groupe, un espace impossible à combler et toujours béant.

– Dors, Koutoubia, dit Amos en essuyant ses larmes. Dors, mon compagnon de voyage, dors sur cette bouffée de chagrin qui accompagne ta dernière randonnée. Emporte avec toi un peu de la chaleur de mon corps pour te réchauffer dans l'au-delà. Dans mon âme, j'entends une vague de silence qui prend ta place et qui me noie. Si tu savais comme déjà tu nous manques et combien je m'ennuie de tes conseils, de ta présence et de ton amitié. Dors, cher guide, notre complice d'aventures. Et où que tu sois, veille sur nous qui t'avons apprécié et estimé. Ce qui reste de toi vit maintenant en moi, en Béorf, en Lolya, en Médousa et en Minho. Jamais tu ne seras oublié.

Aidés du minotaure et de Béorf, les adolescents fabriquèrent un bûcher et inhumèrent leur compagnon de voyage. Cette dernière journée de marche vers El-Bab serait une journée de tristesse et de mélancolie.

16
El-Bab

Barthélémy sortit de son repaire et constata l'ampleur de la destruction autour de lui. La grande ville du roi Aratta était maintenant déserte et en ruine. Dix jours auparavant, la cité était remplie de passants dans les rues ; elle débordait de commerçants sur la place du marché, d'enfants espiègles qui s'amusaient dans les ruelles, d'odeurs de cuisson, de rires sonores et de jolies femmes. Il y avait des embouteillages de charrettes à certains carrefours et des piétons grouillaient dans tous les coins de la ville. Des foules considérables sortaient à heures fixes des temples sous les hurlements des marchands de thé ambulants. Des bouibouis offraient les spécialités du pays et les cuistots grillaient à l'extérieur de leur restaurant des saucisses de mouton et des sardines de la mer Sombre. Cette ville autrefois si vivante était maintenant tout à fait morte.

Le chevalier embrassa le sol et remercia sa déesse de l'avoir sauvé. De toute évidence, il serait mort sans sa protection. Pour épargner sa propre vie, Barthélémy avait dû sacrifier ses hommes, mais il ne le regrettait pas. C'est à peine s'il se souvenait d'eux! Le seigneur de Bratel-la-Grande avait définitivement perdu la tête.

Il arrive parfois que des événements tragiques chavirent les hommes les plus nobles et les plus vertueux. Barthélémy avait beaucoup souffert lors de son passage forcé comme esclave chez les bonnets-rouges. Ce traumatisme avait bouleversé ses repères et remis en question sa vie entière. Zaria-Zarenitsa avait su exploiter cette faiblesse à son avantage. Le chevalier avait vu trop de haine et de violence. Il était devenu méfiant et amer envers les autres, peu porté à donner sa confiance. La déesse était entrée dans sa vie juste au bon moment pour combler le vide de son âme et le manipuler ensuite à sa guise.

Zaria savait ce qu'elle faisait. Elle avait d'abord charmé le chevalier par son apparence plaisante et inoffensive. Connaissant les règles de conduite de la chevalerie, elle savait que Barthélémy ne refuserait jamais de lui venir en aide.

Habilement, elle l'avait valorisé pour mieux lui inculquer de nouvelles idées : les siennes ! C'est elle qui avait maintenant le pouvoir absolu sur les actes et les pensées du chevalier. La déesse le menait comme une marionnette et l'avait forcé à trahir ses hommes. L'affection naturelle que le chevalier entretenait pour ses subalternes avait été dissoute et ne se créerait plus jamais en lui pour quiconque. Le chevalier était maintenant isolé dans son âme et donc plus vulnérable encore aux manipulations de la déesse. Barthélémy n'avait désormais plus de repères et, psychologiquement fragile, était incapable de retrouver son esprit critique.

— Tu vois ce qui reste autour de toi ? dit Zaria-Zarenitsa après s'être matérialisée près du chevalier. Il ne reste rien... Que de la poussière et du sable, voilà ce que laissent les dieux du mal après leur passage.

— Est-ce vraiment le mal qui a provoqué toute cette destruction ? demanda Barthélémy dans un dernier éclair de lucidité.

— Oui... mentit sans vergogne la déesse.

Zaria-Zarenitsa savait pertinemment qu'Enki était d'abord une divinité du bien ayant sombré dans la mégalomanie.

— Le mal est partout, poursuivit la divinité, il est tout autour de nous ! Heureusement, nous sommes là, toi et moi, pour préserver le bien et assurer aux humains la paix et la prospérité.

– Le soleil n'est pas apparu, hier, dit Barthélémy. Pourquoi ne s'est-il pas montré? C'est à cause des mauvais dieux?

– Exactement, fabula la déesse. Ils m'ont empêchée de faire mon travail! J'étais prisonnière des puissances du mal et j'ai été torturée… Tout comme toi… Mais, heureusement je me suis échappée pour faire renaître le jour.

En réalité, Zaria-Zarenitsa était beaucoup trop faible pour s'opposer à la volonté d'Enki. Comme les autres dieux dont la tâche est d'assurer l'arrivée de l'aube tous les matins, elle avait tenté de faire son travail. La force du grand dieu sumérien s'était opposée à ses petits pouvoirs et Zaria-Zarenitsa s'était vue submergée par une couche de ténèbres impossible à déloger. Trop dense pour être percée, la nuit était tombée sur le jour en l'écrasant de tout son poids.

– Mais qu'allons-nous faire contre le mal qui se répand sur le monde et qui guette chacun de nos mouvements? demanda le chevalier, confus.

– Nous allons le combattre avec une grande armée! s'exclama Zaria. Tu te rappelles ton idée? Devenir le roi des quinze royaumes?

– Oui… oui, je me rappelle, confirma Barthélémy, les yeux hagards. Devenir le roi…

Unir les royaumes… Et mener les hommes à la libération…

– À la GRANDE libération ! précisa la déesse, excitée. Tu débusqueras le mal et anéantiras les créatures des ténèbres ! Tu mèneras la grande alliance des humains pour la domination du monde et tu extermineras quiconque refuse de se soumettre au bien !

– Je ferai comme Yaune le Purificateur, continua Barthélémy, et je répandrai la lumière dans tous les coins obscurs du monde, et DE FORCE S'IL LE FAUT ! Je me rends compte que j'ai mal jugé cet homme et je sens aujourd'hui le poids qu'il avait à porter sur les épaules. Je le regrette et je crois maintenant que, s'il a tué mon père, c'est parce qu'il avait une bonne raison de le faire.

– Va ! lui ordonna Zaria-Zarenitsa. Retourne dans ton pays et accomplis ton destin. Je veillerai sur toi. Chacun de tes pas sera une foulée de plus vers la gloire et le succès !

Le chevalier leva dignement la tête et embrassa goulûment la déesse. Il retourna ensuite d'un pas alerte dans la maison, paqueta quelques provisions et déguerpit au pas de course. Le torse bombé et le sourire radieux, le seigneur de Bratel-la-Grande disparut au loin, saluant à grand renfort de gestes sa divine amoureuse.

Zaria-Zarenitsa se retourna alors sur elle-même et apparut, dans une autre dimension, dans la chapelle de son maître. Ce lieu, dont les murs et les poutres de soutien étaient constitués d'ossements humains, faisait peur à voir. Juste devant elle, bien assis sur un trône en or, reposait une divinité à la tête de serpent. Sa peau rouge clair suintait légèrement et ses puissantes mains étaient semblables à des pattes d'aigle.

– J'ai fait ce que tu attendais de moi, Seth, annonça poliment Zaria-Zarenitsa. Libère maintenant mes sœurs comme tu l'as promis !

– Tout cela ne fait que commencer, belle déesse.

– Tu avais promis ! s'opposa Zaria. Respecte ta parole ! Nous avions un accord, tu te souviens ? Si je réussissais à séduire le chevalier et à l'inciter à prendre le pouvoir des quinze royaumes, tu libérais mes deux sœurs que tu tiens en otage !

– Ce n'était que la première étape, dit Seth en souriant. Maintenant, tu vas continuer la route avec lui ! Je ne veux pas qu'il se démotive et qu'il retrouve sa lucidité.

– Et si je refuse ? demanda la déesse.

– Je ferai souffrir tes sœurs pour l'éternité ! ricana le dieu serpent. Tu n'as pas le choix, petite déesse mineure ! Il faut vraiment être aussi stupide que Barthélémy pour croire que c'est toi qui as protégé son repaire de la colère d'Enki. Tout le mérite de ce travail me revient! Tu n'es bonne qu'à mettre de la rosée sur l'herbe et à faire s'ouvrir les fleurs, chère Zaria… pas plus! Tu vas immédiatement faire ce que je t'ordonne!

– Très… Très bien, hésita la divinité. Il semble que je n'aie pas le choix…

– Tu comprends vite lorsqu'on t'explique longtemps! se moqua le dieu. Ce que Karmakas ou Yaune le Purificateur n'ont pas pu réussir, c'est Barthélémy qui le réussira! Ma ténacité est admirable, tu ne crois pas? J'obtiens toujours ce que je veux, même si parfois les choses prennent un peu plus de temps que prévu.

– Que dois-je faire maintenant? questionna Zaria.

– Disparaître et te tenir prête à exécuter mes ordres! lança brutalement Seth. Rappelle-toi bien de ne parler à personne de notre alliance… C'est notre petit secret! Il ne faudrait pas que je me fâche et que tes sœurs souffrent le martyre…

La déesse s'inclina et disparut du temple éthéré de Seth. Le dieu se cala alors confortablement dans son trône et éclata d'un rire dément.

La tour était enfin là! Elle s'élevait majestueusement devant les yeux ébahis des adolescents. Jamais ils ne l'auraient crue si haute et si imposante. El-Bab ne donnait pas l'impression d'être une tour ordinaire: elle ressemblait davantage, par sa taille, à une montagne sacrée émergeant de la terre. Plus de trois cents étages étaient déjà construits, et des milliers d'esclaves travaillaient jour et nuit à son érection.

De la petite colline où se trouvaient Amos et ses compagnons, il était possible d'admirer l'imposante ville champignon qui en ceinturait les alentours. Autour de la tour, c'était une véritable fourmilière grouillante d'activité. Esclaves, pèlerins, travailleurs engagés, artistes sculpteurs, cuisiniers, soldats, marchands, femmes et enfants tenaient les rôles nécessaires au bon fonctionnement du chantier.

– Allez! s'écria Béorf. Allons faire une visite à la tour et casser la croûte en ville! J'ai tellement faim que je dévorerais un bœuf à moi tout seul!

– Je ne pense pas, répondit Amos en réfléchissant. Je ne crois pas qu'un minotaure et qu'une gorgone soient les bienvenus dans cette cité. Regarde, Béorf, sur le flanc ouest de la tour, les esclaves qui y travaillent sont des hommes-taureaux. Puis, regarde plus en avant, juste là, ce sont des hommes à la peau noire qui se font fouetter ! Lolya sera aussi en danger si nous entrons tous dans cette cité.

– Mais nous n'allons pas rester ici à admirer le paysage ! lança Béorf, tenaillé par la faim. Il faut penser à quelque chose, alors, et vite ! J'ai faim…

– Toi et moi irons en ville et nous essayerons de trouver quelque chose à manger pour tout le monde, proposa Amos. Comme nous n'avons pas d'argent, eh bien, nous devrons voler de la nourriture ! Quand nous aurons tous mangé, je commencerai les recherches pour retrouver ma mère.

– Koutoubia aurait certainement aimé vous accompagner… pensa Lolya à haute voix.

– Et j'aimerais bien qu'il soit avec nous, reconnut Amos. Son aide me manque terriblement.

Un moment de silence plana entre les adolescents.

– Bon, allons-y ! commanda Amos.

– Nous ne bougerons pas d'ici et attendrons votre retour, promit Lolya. Ne soyez pas inquiets, nous trouverons un endroit pour nous cacher.

Les garçons dirent au revoir à leurs amis et marchèrent côte à côte vers la cité. Ils croisèrent quelques bergers guidant leur troupeau vers les pâturages environnants. Les grandes catastrophes qui s'étaient abattues sur le pays n'avaient aucunement atteint la tour et les terres voisines. Tout était parfait dans un rayon de plusieurs kilomètres autour d'El-Bab. Les champs étaient luxuriants, les habitants des lieux en bonne santé et, de toute évidence, la grêle n'avait rien endommagé.

Un bataillon complet de soldats sumériens était stationné à l'entrée de la ville. Les gardes observaient les allées et venues d'un regard distrait, trop occupés qu'ils étaient à jouer aux dés. Les garçons passèrent le poste de garde sans se faire poser de question et disparurent aussitôt dans les méandres de la ville.

Presque toutes les habitations de la cité étaient faites de toile, de tapis ou de tissu. Ces tentes improvisées de toutes les formes, les couleurs et les styles donnaient une vive impression de légèreté.

Les habitants étaient pour la plupart de nouveaux arrivants et se débrouillaient avec les moyens du bord. Ils avaient tout laissé derrière eux en n'apportant que l'essentiel sur leur mulet. Par chance, nombre d'entre eux étaient arrivés à El-Bab avant les grandes catastrophes. D'autres, moins chanceux, avaient vu les rivières de sang et subi l'invasion des grenouilles. Ils en parlaient encore avec frayeur et remerciaient Enki de les avoir guidés vers lui au bon moment.

— Là, juste là ! dit Béorf en arrêtant Amos. Il y a un marché, tu le vois ?

— Oui, je le vois, répondit le porteur de masques, mais il est trop petit… Comme personne ne nous connaît dans le coin, les commerçants auront des doutes et nous serons tout de suite remarqués. Nous devons être habiles pour…

— J'ai une bonne idée, interrompit le gros garçon dont l'estomac hurlait famine. Nous allons nous séparer pour être plus efficaces dans notre cueillette de nourriture et nous nous retrouverons dans quelques heures à l'entrée de la ville. Ça te va ?

— Je crois que ce n'est pas très sage, répondit Amos. Nous devons rester ensemble pour nous protéger l'un l'autre si quelque chose d'imprévu se produit !

— Tu veux plutôt dire que tu t'inquiètes pour moi et que tu ne me crois pas capable de voler un peu de nourriture sans me faire prendre ! se fâcha Béorf, agité par l'odeur de la viande grillée.

— Prends sur toi, Béorf, lui conseilla Amos. Et baisse le ton, les gens commencent à nous remarquer.

– Écoute, Amos, rétorqua l'hommanimal, tu es mon ami, mais parfois je te trouve un peu trop paternel! Ton petit air de sagesse me tombe sur les nerfs et… et franchement, je crois que cela agace aussi Médousa et Lolya. J'aurais aimé te le dire autrement, mais bon… Tu vois, c'est toujours toi qui prends les décisions, toujours toi qui nous sauves la vie, toujours toi qui as raison sur tout… Ouf! À la longue, tu vois, c'est un peu énervant! Laisse-moi un peu tranquille et rejoignons-nous dans quelques heures à l'entrée de la ville, juste après le poste de garde. J'ai faim et je vais me trouver quelque chose dans ce marché! Salut! À plus tard…

Amos, surpris par les reproches de son ami, ne répondit rien et acquiesça d'un léger mouvement de tête. Le gros garçon tourna les talons et s'enfonça dans le marché.

Béorf salivait abondamment à l'idée de prendre un vrai repas. Tout autour de lui sentait si bon! Il n'avait pas mangé à sa faim depuis son départ d'Arnakech et était sur le point de perdre la tête. Il respirait à pleins poumons l'odeur de la viande braisée et le subtil parfum des fruits l'enivrait. Il voulait manger à satiété, mélanger les saveurs et les couleurs des aliments, faire une fête autour d'un mouton grillé et boire des jus de fruits savoureux. Autour de lui, c'était l'abondance!

Malheureusement, il n'avait pas d'argent et devait trouver le moyen de se nourrir. Il ne pouvait plus attendre, son corps le suppliait de manger.

Incapable d'user de subtilité, le gros garçon tendit brusquement la main vers un fruit et, sous les yeux du marchand, l'amena directement à sa bouche. Juste avant que ses lèvres ne le touchent, une main derrière lui saisit son oreille et l'adolescent se figea. Une poigne inconnue avait délicatement coincé un nerf de son cou et l'hommanimal, salivant, la bouche ouverte, le fruit suspendu juste devant ses yeux, ne pouvait plus bouger. Une voix dit alors derrière lui :

– Le silence est quelque chose de magnifique. Il est comme une pelure d'oignon et possède plusieurs dimensions. Il est présent dans la nuit, dans l'absence de mouvement, dans l'âme de celui qui écoute et dans la musique infinie des étoiles muettes. Il faut savoir écouter les étoiles pour connaître les véritables harmonies qu'elles jouent tous les soirs, aux mêmes heures, alors que personne ne les entend. Dans les enseignements que je dispense à mes élèves, je dis toujours que le silence est un moyen privilégié d'atteindre la vérité, c'est-à-dire qu'il est une façon de boire à la source cachée du savoir des plus grands sages et des plus grands philosophes. Mais comment, monsieur Bromanson, pouvez-vous respecter le silence dans la cacophonie que fait quotidiennement votre estomac?

L'homme relâcha l'oreille de Béorf. Complètement décontenancé, le gros garçon se retourna et, incrédule, dut se frotter les yeux à deux reprises. C'était… mais oui, c'était bien lui! Sartigan en personne! Il était là, avec sa barbe tressée lui servant de foulard, ses traditionnels vêtements orangés et… ouf! son haleine toujours aussi déplaisante!

Béorf lui sauta dans les bras et Sartigan serra fortement le garçon contre lui. Le vieil homme s'était ennuyé de son élève et les retrouvailles le comblèrent de joie.

Le maître lança une pièce au marchand de fruits pour payer la collation de son élève et dit à Béorf:

– Ce n'est pas bien de voler! Même en dernier recours, il y a toujours une autre solution que le vol. Mange le fruit et accompagne-moi dans ma demeure, j'ai de quoi remplir convenablement ton estomac. Mais, dis-moi, Amos n'est pas avec toi?

– Euh… oui… hésita le garçon, un peu honteux. Nous nous sommes séparés et nous devons nous retrouver à l'entrée de la ville dans quelques heures.

– Amos Daragon et Béorf Bromanson séparés l'un de l'autre? s'étonna Sartigan. Il faudra que tu m'expliques ce qui s'est passé!

– C'est ma faute, avoua Béorf en baissant les yeux. Je me suis impatienté… J'avais… j'avais trop faim et…

– Ne m'en dis pas davantage, l'arrêta le maître, je te connais et je connais aussi Amos. Ce petit accroc sera vite oublié.

– Mais attendez! s'étonna Béorf en croquant son fruit. Mais, vous parlez notre langue! Vous parler le nordique!

– C'est la mère d'Amos qui m'a enseigné, sourit Sartigan, assez fier de lui. C'est un excellent professeur, mais il faut dire que je suis aussi un bon élève!

– Elle est vivante? Bien vivante? se réjouit le gros garçon en sautant de joie.

– Oui, confirma Sartigan, et nous la ferons sortir d'ici plus tard ce soir, lorsque la nuit pourra nous cacher.

– Que fait-on pour Amos? On le cherche? s'enquit Béorf, inquiet.

– Il nous sera difficile de le retrouver dans cette foule, constata le vieil homme. Nous l'attendrons ensemble, tout à l'heure, à votre point de rendez-vous.

– Je vous croyais prisonnier comme Frilla…

– Non, pas du tout! s'amusa Sartigan. Tu vas voir, ici, tout le monde me croit fou. Ils pensent tous que je suis un vieux gâteux. Je vis d'aumônes et de petits boulots. De cette façon, on me laisse circuler partout, aussi bien parmi les soldats que parmi les esclaves. En réalité, je vous ai quittés pour venir assurer la protection de Frilla en attendant votre arrivée. Je savais qu'Amos et toi réussiriez à atteindre El-Bab. Mais, trêve de bavardages pour le moment! Allons vite manger afin que tu puisses me raconter votre voyage vers l'île de Freyja et les aventures que vous avez vécues sur la route!

– Oui, parfait! s'exclama Béorf en se léchant les babines. Il me faudra aussi des provisions pour les autres!

– Les autres? questionna Sartigan. Quels autres?

– Je vous expliquerai…

17
L'énigme d'Enmerkar

Amos quitta Béorf à contrecœur et partit seul de son côté vers la tour.

Le cœur gros, il réfléchissait aux reproches de son ami et se demandait sérieusement s'il n'avait pas un peu raison. Amos se demanda comment et quand il avait pu être blessant, autoritaire ou dominateur. Il revoyait dans sa tête certains événements qui auraient pu être déplaisants pour ses amis. Bien sûr, cette mission de porteur de masques était la sienne et elle ne concernait nullement ses compagnons. Pourtant, ces derniers avaient voulu se joindre à lui pour l'appuyer dans sa tâche. Il était donc un peu normal qu'Amos mène le groupe, qu'il suive d'abord l'appel de son destin sans nécessairement toujours demander son avis à chacun.

Le porteur de masques estimait beaucoup Béorf et ses reproches l'avaient chaviré. À tel point qu'il en oublia la faim et la soif et qu'il erra longuement en réfléchissant dans l'immense cité de toile.

Lorsque Amos reprit ses esprits, il était devant la grande porte d'El-Bab. Cette immense entrée aurait pu facilement laisser passer une bonne dizaine d'éléphants côte à côte. Elle donnait accès au temple, le rez-de-chaussée de la tour.

Une grande procession était sur le point de franchir les portes et les pèlerins attendaient avec impatience de voir défiler le grand prêtre. En cette dernière journée des grandes malédictions d'Enki, les fidèles avaient préparé la grande fête du nouveau monde pour célébrer la renaissance prochaine de tout le pays dans la lumière du dieu unique. Ce défilé inaugurait officiellement les festivités.

Ces cérémonies du renouveau allaient être lancées par la grande bénédiction d'Enmerkar au cœur du temple de la tour. Ensuite, suivant les traditions du pays, tous les hommes allaient symboliquement se fouetter avec des rameaux en bourgeons en se souhaitant mutuellement de bonnes récoltes. Les femmes, de leur côté, allaient accrocher des colifichets aux branches des arbres fruitiers en priant pour que la cueillette soit généreuse. Les filles promises pour le mariage allaient être aspergées de quelques gouttes d'eau de fleur d'oranger pour attirer sur elles la chance, alors que les futurs maris verraient leur demeure décorée de branchages et de rameaux épineux. En soirée, les fêtes se poursuivraient au son de la musique, dans le tintamarre des pèlerins excités. La partie la plus importante de ce rituel du renouveau serait l'offrande au prêtre. Chaque famille se devait d'apporter dans la journée un cadeau à Enmerkar afin que le prêtre prie Enki en sa faveur.

Les premiers fidèles de la procession débouchèrent soudainement dans une rue non loin du temple. Le défilé avait fait le tour de la cité et se préparait maintenant à investir la tour. Les dévots portaient des ornements sacrés faits de brocart et tissés de symboles divins. Certaines tenues d'apparat se composaient de capes de plumes et de vêtements de couleurs rouge et jaune, emblèmes de la royauté et du sacré. Des chants religieux s'élevèrent du cortège, et la foule de spectateurs se resserra de chaque côté de la route.

Amos, un peu perdu dans la foule, se hissa sur la pointe des pieds pour voir arriver la procession. L'ambiance était étouffante! Tous serrés les uns contre les autres, les spectateurs des derniers rangs luttaient pour une meilleure place alors que ceux des premiers rangs cherchaient désespérément une bouffée d'air frais.

Juste à côté d'Amos, un vieil homme, incommodé par la chaleur, tomba dans les pommes en abandonnant une cage remplie de colombes dans les bras du garçon. L'homme s'effondra par terre et fut vite piétiné par la foule. Amos essaya de lui venir en aide, mais sans succès. Il resta avec l'offrande du vieux pèlerin entre les mains.

Puis la folie s'empara d'un coup de la foule alors qu'Enmerkar, debout sur un char décoré de fleurs et tiré par des esclaves, se présenta au bout de la rue. Des cris et des hurlements hystériques fusèrent de partout. Une fièvre mystique s'était emparée des fidèles alors que la procession approchait des grandes portes. Amos fut bousculé, poussé et brusqué comme jamais !

C'est à ce moment qu'une petite chèvre, fatiguée de se faire piétiner les sabots et exaspérée par l'attitude générale des humains, se cabra et décida de s'extraire de la foule à grands coups de cornes. La bête commença à faire le ménage autour d'elle sans que son maître ne puisse la calmer. L'animal en furie encorna quelques derrières de spectateurs, rua dans les genoux de certains autres, mordit à pleines dents les mollets de plusieurs fidèles et se libéra finalement de sa laisse. Elle fonça alors, tête baissée, droit devant elle.

Au passage, la bête fila entre les jambes d'Amos en déchirant son pantalon. Le tissu resta coincé dans une de ses cornes et le garçon fut propulsé vers l'avant, à dos de chèvre, directement dans le défilé. Chevauchant à moitié l'animal en furie et déséquilibré à cause de la cage de colombes qu'il tenait dans ses bras, Amos galopa de façon maladroite et disgracieuse jusque devant le char du grand prêtre.

Sous les rires et les applaudissements de la foule, le cavalier fit quelques pitreries involontaires en essayant de se libérer de sa monture. Luttant pour reprendre son équilibre, Amos lança dans les airs la cage de colombes qui atterrit brutalement dans la figure d'Enmerkar. Elle se brisa sur le nez du prêtre en libérant les colombes ! De nombreux « bravo ! » retentirent pour saluer cette performance clownesque.

Saignant abondamment du nez, le prêtre en furie se leva de son siège et hurla sa colère. Les spectateurs effrayés déguerpirent à toute vitesse en laissant vide l'entrée du temple. La foule se dissipa en quelques secondes.

Le pantalon d'Amos céda enfin et le garçon se détacha du dos de l'animal pour exécuter trois pirouettes aériennes et atterrir violemment face conte terre. Deux soldats s'emparèrent de lui et, sous l'ordre d'Enmerkar, lui assénèrent une bonne raclée. Étourdi et désorienté, le porteur de masques ne put rien faire pour se défendre. Il encaissa sans comprendre ce qui lui arrivait. Heureusement pour lui, le masque de la terre le protégea des coups de poing et des coups de pieds fatidiques qui auraient pu lui déchirer les organes vitaux. La protection accrue des deux pierres de puissance lui évita aussi la commotion cérébrale. Les soldats abandonnèrent Amos sur le sol, couvert d'ecchymoses et à moitié conscient.

Comme le grand prêtre entrait dans le temple d'El-Bab, ses yeux tombèrent par hasard sur l'énigme qu'il avait fait inscrire sur le mur.

«Tu dois chevaucher et ne pas chevaucher, m'apporter un cadeau et ne pas l'apporter. Nous tous, petits et grands, nous sortirons pour t'accueillir, et il te faudra amener les gens à te recevoir et pourtant à ne pas te recevoir.»

Un déclic se fit alors dans l'esprit du prêtre.

— Le garçon de tout à l'heure a chevauché la chèvre sans véritablement la chevaucher, pensa-t-il. Il galopait sur le dos de l'animal, un pied à terre et l'autre dans les airs… Hum… Ce gamin m'a ensuite lancé à la tête un cadeau qui s'est tout de suite envolé. Comme dans l'énigme, il m'a apporté un présent et ne l'a pas apporté en même temps! De plus, devant les portes du temple, la foule l'a accueilli avec joie pour ensuite fuir à toutes jambes. Les gens l'ont reçu sans pour autant le recevoir!

Enmerkar réfléchit encore quelques secondes.

— Mais c'est impossible! se dit le grand prêtre. Comment un jeune homme aussi fluet peut-il menacer à lui seul El-Bab et attenter à ma vie ?

En réalité, Enmerkar attendait l'arrivée prochaine d'un grand guerrier ou d'un terrible mercenaire. Il s'imaginait un ennemi dont les puissantes armées auraient envahi les terres environnantes et assiégeraient la tour. Quelqu'un qui arriverait avec force et fracas, défonçant les portes d'El-Bab et lui ordonnant de se soumettre ! Ou encore un puissant magicien, venu des lointaines contrées de l'Est ! Le grand prêtre était prêt à se battre contre un féroce adversaire aux pouvoirs surhumains et doté d'une force hors du commun, mais pas contre… un enfant !

Le grand prêtre hésita encore quelques secondes puis, se remémorant les événements qu'il venait à peine de vivre, relut l'énigme à voix haute. Il se dit :

– Pourquoi courir le risque ? Si ce jeune homme est vraiment une menace pour moi, il vaut mieux l'éliminer tout de suite. Soyons prudent !

Le grand prêtre se tourna vers un de ses soldats et ordonna :

– Qu'on amène le garçon de tout à l'heure dans mes appartements du septième étage ! Vous savez de qui je parle ? Celui que vous avez brutalisé à l'entrée de la tour. Attachez-le bien et déposez-le dans ma salle d'audience. Je m'occuperai de lui après la célébration des fêtes du renouveau.

***

— Mais où est-il ? s'inquiéta Béorf. Il devrait pourtant être là !

— Moi aussi, je suis impatient de le voir ! Mais chaque chose en son temps, dit Sartigan en essayant de calmer son élève.

— Je lui ai pourtant dit de me retrouver à l'entrée de la ville, juste après le poste de garde ! insista Béorf, à bout de nerfs. S'il lui était arrivé quelque chose, je m'en voudrais pour le reste de mes jours !

— Chez moi, on dit qu'avec du temps et de la patience, la feuille du mûrier devient de la soie, énonça Sartigan, très content de lui.

— Et qu'est-ce que cela veut dire ? questionna Béorf, un peu perplexe.

— En vérité, avoua le maître, je ne le sais pas. Mais je trouve cette phrase très jolie à dire dans votre langue. Enfin… Voici ce que je propose pour l'instant. Toi, tu vas aller donner à tes amis les provisions que nous avons rapportées. Ils doivent avoir très faim et très soif ! Pendant ce temps, je vais aller en ville. Je me propose de retrouver Amos au plus vite. Ensuite, je l'amènerai à sa mère et nous la libérerons ensemble de ses geôliers. Ce sera vite fait ! Sous le couvert de la nuit, nous irons vous rejoindre au-delà des pâturages, dans les collines. Qu'en penses-tu ?

Béorf soupira puis opina du bonnet. Il aurait voulu trouver Amos et s'excuser le plus rapidement possible de sa mauvaise attitude et de ses reproches un peu méprisants. L'hommanimal aurait voulu corriger lui-même la situation et faire en sorte de tout effacer, de recommencer à zéro. Mais Sartigan avait la meilleure solution et proposait un excellent plan. Après tout, le maître connaissait mieux la ville que personne et savait comment déjouer les gardiens d'esclaves.

— Très bien, soupira Béorf, résigné. J'irai rejoindre les autres et j'attendrai votre arrivée.

— Tu sais, mon jeune élève, enchaîna le vieillard avec humour, un ami c'est quelqu'un qui sait tout de nous… et qui nous aime quand même ! Amos te connaît bien et je sais qu'il t'a déjà pardonné.

— N'empêche que je me sens rempli de remords, avoua sincèrement le gros garçon.

— Alors laisse-moi te raconter l'histoire du tigre et du lion qui vivaient dans mon pays, commença Sartigan. Les deux félins étaient amis depuis longtemps, car ils s'étaient rencontrés très jeunes. Ils ne savaient pas que les tigres et les lions se méfient naturellement l'un de l'autre. Pour eux, leur belle amitié n'avait rien d'exceptionnel : elle était normale et simple, usuelle et commode. Ils vivaient ensemble dans la grande forêt d'un sage ermite et se prélassaient au soleil à cœur de jour. Par contre, malgré leurs affinités, ils étaient quand même différents et, par un bel après-midi, ils se disputèrent violemment. Le tigre insistait pour dire que le froid était causé par la lune qui passait de la «pleine lune» à la «nouvelle lune». Le lion, à grand renfort de grognements, prétendait le contraire. La dispute prit alors d'énormes proportions et c'est le sage ermite qui trancha. Il leur dit que le froid arrive à n'importe quelle phase de la lune et qu'en réalité, c'était le vent venant du nord qui apportait avec lui les brises glacées. Ils avaient, pour ainsi dire, tous les deux tort. Le tigre et le lion s'étaient, en réalité, disputés pour rien. Mais ce n'était pas grave, car ils s'amusèrent longuement de cet incident et resserrèrent les liens qui les unissaient.

— Et alors? demanda Béorf, incapable d'en tirer une conclusion par lui-même.

— Cette histoire, expliqua patiemment le maître, nous montre que la chose la plus importante n'est pas, pour des amis, d'avoir raison ou tort! Elle est de vivre sans dispute dans l'unité. La température change… mais l'amitié reste.

— Donc, je n'ai pas à m'en faire…

— Va porter les provisions à tes autres amis, conclut Sartigan, je m'occupe de retrouver Amos et de libérer sa mère.

18
L'interrogatoire du prêtre

Amos, à moitié conscient et ficelé comme un saucisson, attendait dans les appartements du grand prêtre. Il rêva de Sartigan qui, dans sa cabane près d'Upsgran, lui rappelait les quelques principes nécessaires à la constante évolution d'un porteur de masques.

Il lui enseignait de toujours garder l'esprit clair et d'être vigilant à chaque instant. En aucun cas il ne devait laisser ses perturbations émotionnelles le déranger. Cet état d'éveil, que le maître appelait la motivation, devait servir à aiguiser les sens de son protégé et à maintenir son corps et son esprit toujours en alerte.

Sartigan lui avait aussi parlé de l'accoutumance. Cette condition mentale devait toujours être présente dans le cœur d'un porteur de masques pour qu'il demeure conscient, au quotidien, des buts les plus nobles à atteindre. Il lui fallait tendre sans cesse vers la perfection afin que son entourage en profite.

En dernier lieu, il devait bien connaître son chemin dans la vie et ne pas s'en détourner. Ce troisième principe constituait un des pivots de la réussite. Amos devait oublier les actions maladroites du passé pour construire son avenir sur ses actes vertueux.

Comme le porteur de masques écoutait en rêve son maître lui faire la leçon, une eau glacée le ramena vite à la conscience. Toujours ligoté, Amos fut suspendu dans les airs, la tête en bas. Étourdi et toujours désorienté, le garçon aperçut deux soldats sumériens à la forte carrure qui l'encadraient. Devant lui, Enmerkar le regardait avec circonspection. Le grand prêtre dit alors quelque chose en sumérien, mais Amos ne comprit rien de ce charabia. L'homme essaya sans succès, dans plusieurs langues, d'entrer en contact avec l'adolescent, jusqu'à ce qu'il demande :

– Tu parles nordique ?

– Oui, répondit Amos. Ma langue maternelle est le nordique.

– Et tu fais quoi ici ? s'enquit le prêtre avec un accent à trancher au couteau.

– Je… je suis venu libérer ma mère de l'esclavage, avoua Amos sans crainte.

– Elle est esclave, ta mère? Ici? demanda Enmerkar.

– Oui, et… et je suis venu pour la ramener chez moi! lança le porteur de masques.

À ce moment, Amos aurait pu enflammer ses liens et se libérer rapidement de son inconfortable position, mais il jugea plus sage de jouer la comédie et de laisser croire qu'il était inoffensif. Sartigan lui avait bien dit de rester vigilant et de garder l'esprit clair en toute circonstance.

– Tu sais quoi de l'énigme? questionna le grand prêtre en le fixant dans les yeux.

– Quelle énigme? Je ne sais pas de quoi vous parlez, mentit Amos, qui se rappelait très bien les mots qu'il avait déchiffrés avec Lolya et Médousa dans le livre comptable des barbares.

– Tu mens! déclara Enmerkar. Je ne comprends pas pourquoi toi tu es à mentir… Et explique ceci!

Le prêtre sortit alors des affaires d'Amos les deux oreilles en cristal de Gwenfadrille et le disque sacré appartenant au culte des minotaures.

– Explique ceci! insista-t-il.

– Il n'y a rien à expliquer, commença Amos. Ce sont des objets sans valeur que j'ai trouvés sur ma route vers El-Bab.

– Ce disque, sans valeur? rigola Enmerkar. Mais juste la pierre de rose a beaucoup de valeur pour petit voleur que tu es... Je pense que tu n'es pas important et que tu es un vaurien. Être un fils d'esclave échappé, peut-être? Rien d'important... Non, nous allons te couper les deux mains pour donner à toi une leçon!

– En réalité, menaça le porteur de masques, je me nomme Amos Daragon, et je suis venu jusqu'à toi pour faire tomber cette tour! Voilà toute la vérité!

Enmerkar éclata d'un grand rire moqueur. Il s'approcha d'Amos, lui cracha au visage:

– Toi, tu fais tomber MA tour? Grande menace pour petit garçon! Dommage que ta bouche trop grande, car je vais briser toi comme ceci!

Le grand prêtre, pour souligner sa menace, lança le disque du culte minotaure haut dans les airs et ce dernier vint se fracasser violemment sur le sol. Amos, le souffle coupé, ne put rien faire pour empêcher l'objet d'éclater en mille morceaux. Sous l'impact, la pierre rose se dégagea du disque, devint luminescente pendant quelques secondes, puis s'éteignit définitivement. Si la légende que lui avait racontée Minho sur les pouvoirs du disque était vraie, il valait mieux fuir cette tour dans les plus brefs délais!

Sans perdre de temps, Amos utilisa ses pouvoirs sur le feu et fit s'enflammer les liens qui le retenaient prisonnier. Les deux gardes postés près de lui bondirent en arrière sous l'intensité de la chaleur. Le porteur de masques tomba violemment face contre terre, mais ne se blessa pas.

– Tuez-le! ordonna le prêtre à ses deux soldats.

Les gardes dégainèrent ensemble leur épée et foncèrent sur Amos. Le garçon évita la première lame de justesse, mais la seconde lui déchira le flanc. Au lieu de sang, la plaie s'emplit de boue et se referma aussitôt. Le masque de la terre avait encore fait son boulot!

Amos concentra la force de sa magie et produisit un courant d'air si fort qu'il propulsa un des gardes par la fenêtre. La chute du Sumérien lui fut fatale! Dans la foulée, le garçon évita deux coups d'épée de l'autre soldat et, d'un habile mouvement, saisit son poignet. Le porteur de masques déchargea alors dans sa main une chaleur brûlante qui carbonisa la peau de l'homme en imprégnant dans sa chair la marque de cinq doigts. Le Sumérien hurla de douleur, laissa échapper son arme et se dégagea. L'épée fut aussitôt récupérée par Amos qui la projeta vers le garde et, s'aidant de ses pouvoirs sur l'air, la dirigea vers l'une de ses jambes. La lame traversa la cuisse du Sumérien et se fixa solidement dans le muscle. L'homme était maintenant hors d'état de nuire.

Pendant cette brève altercation, le grand prêtre eut largement le temps de saisir son grand bâton de culte et de préparer quelques sorts. Enmerkar invoqua alors la force d'Enki et envoya une puissante décharge mentale au garçon. Amos, sous l'emprise de cette attaque, eut soudainement très peur : un incroyable effroi lui glaça le sang jusqu'à la moelle ! Le souffle coupé et le corps crispé, le garçon n'osa plus bouger. Le prêtre en profita alors pour bondir sur lui.

Dans les flancs, derrière la tête et sur le dos, une pluie de coups de bâton tomba sur le porteur de masques. Toujours sous l'emprise mentale du prêtre, la peur empêchait Amos de se défendre. Il serait sûrement mort, battu sans merci par le prêtre si, à ce moment, un grand tremblement de terre n'avait pas dérangé Enmerkar.

– Mais qu'est-ce que c'est ? cria l'homme dans sa propre langue en se dirigeant vers une des fenêtres de la tour.

– Les… dieux barbares… arrivent ! balbutia Amos en reprenant ses esprits. Il… il vaudrait… peut-être mieux… sortir d'ici !

– DIEUX BARBARES? De quoi parles-tu? hurla Enmerkar en regardant à l'extérieur. Je ne vois rien!

Amos profita de ce moment pour se remettre sur pied. Il se dirigea en claudiquant vers la sortie pour s'échapper, mais en vain. Un autre sort du grand prêtre le figea sur place. Un rayon noir provenant de la main d'Enmerkar lui arracha toute volonté de fuir, de rester ou même d'exister. Le garçon sentait la vie s'échapper de son corps. Comme un baril fissuré laissant déverser son contenu, Amos voyait son âme le quitter sans pouvoir rien y faire.

– Avant de tuer toi, dit le prêtre en maintenant son emprise, dis si tu es celui qu'Enki a peur de? Tu es celui qui détruire El-Bab? Celui qui recevoir la dernière plaie d'Enki?

– Je suis Amos Daragon et je suis porteur de masques.

Puisant dans les dernières ressources de son âme affaiblie, le garçon tenta de lancer un dernier sort. Il pointa Enmerkar et enflamma d'un coup ses cheveux. Le prêtre perdit aussitôt son emprise et le porteur de masques s'affaissa au sol, complètement vide d'énergie.

La terre trembla alors une deuxième fois et la tour se fissura à plusieurs endroits.

Du coin de l'œil, Amos remarqua que le grand prêtre avait la tête plongée dans l'eau bénite d'un bassin cérémonial. Ses cheveux étaient maintenant éteints et l'homme allait émerger pour respirer. L'espace d'une seconde, le porteur de masques revit Sartigan lui enseignant une de ses dernières leçons. Le vieillard lui avait dit que la vie qui coule dans l'âme d'une personne juste est une source inépuisable de forces morales. Pour y avoir accès, il suffisait d'avoir la foi. Non pas celle qui se résume au fait de croire en une force spirituelle capable de miracles : il s'agissait de la vraie foi, celle qui réfère à la vérité.

Amos savait que cette force était la source de sa destinée et que ce fond inépuisable d'énergie lui sauverait la vie. De toute évidence, Enmerkar allait le tuer à sa prochaine attaque et le porteur de masques ne pouvait plus en endurer davantage.

– C'est lui ou moi ! haleta Amos en invoquant la puissance de l'eau.

Enmerkar essaya alors de retirer sa tête du bassin, mais en fut incapable. L'eau semblait le retenir prisonnier. Encore et encore, le prêtre essaya en vain la même manœuvre. À bout de nerfs, mais surtout à court d'oxygène, il commença à paniquer sérieusement.

De son côté, le porteur de masques maintenait son contrôle sur l'élément liquide. Le garçon avait en lui des ressources de vitalité bien cachées qui, au-delà du désespoir et de la fatigue, étaient prêtes à le servir et à le seconder dans sa magie. Sartigan avait dit la vérité lorsqu'il parlait d'une source inépuisable de forces morales. C'est à ce flux vital qu'Amos puisait maintenant le carburant nécessaire à son contrôle sur l'eau.

Le grand prêtre commençait à se noyer. Toujours incapable de s'extirper la tête du bassin cérémonial, il se mit à bouger frénétiquement en cherchant avec ses mains quelque chose pour fendre le réservoir. Incapable de respirer, son agitation lui faisait perdre de l'air encore plus rapidement. De grosses bulles émergeaient de chaque côté de son visage. Dans un effort désespéré, Enmerkar tenta une dernière fois de se soulever, mais n'y réussit pas. Son corps retomba mollement sur le rebord du bassin, encore animé de spasmes, et cessa définitivement de bouger après quelques secondes. Amos venait de noyer le grand prêtre : la prophétie avait dit vrai !

La terre trembla une troisième fois et la tour se fragilisa encore. Les murs se couvrirent de fissures et de gros morceaux de pierre tombèrent du plafond. Des cris de panique et des hurlements hystériques se firent entendre de l'extérieur. Le porteur de masques relâcha alors son sort et le corps inanimé de son ennemi glissa au sol.

– Il me faut maintenant sortir d'ici au plus vite, pensa Amos en essayant de se relever. Je dois sortir ! Tout va bientôt s'effondrer !

Une poutre de soutien en marbre s'affaissa alors à côté de lui et écrasa sa jambe droite sous plusieurs centaines de kilos de pierre.

– Noooon ! hurla de douleur le garçon. Ma jambe ! Au secours ! Me voilà prisonnier ! Bon… Du calme… Du calme et pense ! Allez, pense ! Pense vite !

La terre cessa de trembler et le porteur de masques eut un peu de répit pour remettre ses idées en place.

– Résumons la situation, se dit-il. Je suis dans une tour haute de trois cents étages qui s'effondrera bientôt sous l'attaque des dieux barbares. Je suis prisonnier de cette salle et ma jambe est coincée sous les restes de cette colonne. Je n'ai pas le temps d'envoyer un message pour appeler au secours, je n'ai plus la force d'utiliser ma magie, et je n'ai aucun moyen de me couper la jambe. Les dieux ne viendront pas à mon secours, car aucun d'eux, qu'il soit du côté du bien ou du côté du mal, n'aime les porteurs de masques. Si je ne trouve pas rapidement une solution, cette tour deviendra mon cercueil ! Pas de panique… je dois réfléchir… réfléchir et trouver une solution !

– Il n'y a pas de solution et pas d'avenir pour toi, dit la voix criarde d'un petit bambin frustré.

Amos releva la tête et le temps sembla alors se figer. Un petit garçon d'environ cinq ans, les cheveux bouclés et blonds, était assis devant lui et tenait une tour miniature entre ses mains.

– Tu as brisé ma tour, continua l'enfant boudeur, je te déteste!

– Je n'ai rien brisé du tout, lui répondit doucement le porteur de masques, perplexe.

– Oui, je te dis! insista le petit bonhomme. Tes monstres vont la faire tomber… je le sais… Ils sont là dehors et ils arrivent! Je les ai vus!

– Mes monstres sont là? répéta Amos en pensant aux dieux barbares.

– Dis-leur de partir et de laisser ma tour tranquille, implora l'enfant contrarié. Si tu le fais, je ne te ferai pas de mal…

– Mais… mais je… mais je ne peux pas… ce n'est pas moi qui… balbutia l'adolescent.

– Dis à tes monstres de partir ou je fais une crise! hurla l'enfant, très mécontent.

– D'accord, d'accord! répondit Amos pour gagner du temps.

Le porteur de masques se doutait bien que le petit bonhomme appelait «monstres» l'incarnation des dieux minotaures. Le disque sacré avait été brisé par Enmerkar et la légende semblait bien se concrétiser.

– Je vais leur dire de partir seulement si tu me dis ton nom, continua Amos.

Le gamin hésita, puis révéla son identité :

– Je m'appelle Enki et je suis le seul et unique dieu du monde !

– Tu es le seul dieu ? s'étonna Amos. Je croyais qu'il y en avait plusieurs…

– Et toi, l'interrompit le bambin sans répondre à sa question, tu t'appelles Amos Daragon et tu es un porteur de masques, ce qui veut dire que tu n'aimes pas les dieux et que les dieux ne t'aiment pas non plus, et que moi aussi je te déteste parce que tu vas faire tomber ma tour AVEC TES MONSTRES !

Amos n'en croyait pas ses yeux ni ses oreilles. Enki était un dieu-enfant ! Il était exigeant, difficile et incapable d'endurer la moindre contrariété. C'était un bébé gâté prêt à entrer dans de violentes colères meurtrières s'il se voyait refuser un de ses désirs. Cette divinité utilisait les hommes comme de simples jouets mis à sa disposition pour assouvir ses petits caprices. De son intolérable caractère transpirait une attitude imperméable à la tolérance et à la compréhension. Ce dieu-enfant avait été élevé sans règles et sans repères. Il ne connaissait pas de limites et le mot « non » entraînait chez lui une fureur apocalyptique.

– Mes monstres ne feront rien du tout à ta tour, dit Amos pour calmer l'enfant. Est-ce toi qui as ravagé le pays ? C'est bien toi qui a envoyé les grenouilles, la maladie et les autres malédictions ?

L'enfant éclata alors d'un rire joyeux. Seul un enfant capricieux et sans morale aurait pu faire autant de mal sans se soucier des conséquences.

– Oui, c'est moi ! avoua Enki sans vergogne. Et je me suis bien amusé ! Maintenant, il ne reste plus que MA tour, MA tour à MOI, MA grande tour !

– Mais pourquoi as-tu fait tout ce désordre ? demanda Amos, démonté. Pourquoi tous ces morts, cette misère et cette souffrance ? Les humains ne sont pas des jouets !

Enki haussa négligemment les épaules et, l'air boudeur, répondit :

– Parce que j'en avais envie…

– Tout cela, seulement parce que tu en avais ENVIE ? ragea le porteur de masques. Il n'y a pas d'autres raisons ? Pas de grands projets pour l'humanité ? Rien qu'une simple envie ?

– J'ai le droit, bouda le petit garçon. Je suis un dieu…

– Approche ici, ordonna soudainement Amos avec un grand sourire. Viens, j'ai un cadeau pour toi…

Méfiant mais attiré par la promesse d'un présent, Enki se leva et s'avança maladroitement vers l'adolescent.

– Approche encore, dit Amos. Je ne peux aller vers toi, j'ai une jambe coincée sous la colonne. Approche… Allez! Je te jure que tu te souviendras longtemps de mon cadeau. C'est quelque chose que tu n'as jamais eu et qui te sera très utile à l'avenir!

Lorsque le dieu-enfant fut tout près de lui, Amos s'élança de toutes ses forces et gifla le gamin qui tomba à la renverse.

– Voilà mon cadeau, sale mioche! hurla le porteur de masques. Comme tu n'as jamais reçu de bonnes corrections, j'espère que celle-ci te sera utile! Mon ami Koutoubia est mort à cause de toi, petit merdeux! Voilà tout ce que tu mérites! Considère-toi chanceux que je ne sois pas un dieu, ta punition serait terrible.

Enki, rouge de colère de s'être fait piéger, cria comme un possédé en donnant des coups de pied et des coups poing au sol. Le dieu s'était fait gifler par un mortel! Quelle honte et quelle frustration! En pleurant de rage, la joue encore rouge marquée des cinq doigts d'Amos, la jeune divinité menaça:

– Retire tes monstres de ma tour!

Amos éclata alors d'un grand rire sarcastique.

– Mes monstres resteront là où ils sont, car je n'ai aucune confiance en toi! J'aime mieux mourir dans cette tour que d'obéir à un seul de tes caprices.

– ET TU MOURRAS! lança le dieu-enfant, enragé. Mais avant, je jure que tu vas avoir mal… très mal… Je vais te faire souffrir…

– Tu veux me faire quoi? s'impatienta Amos. M'arracher les yeux? Me démembrer? M'ouvrir le ventre? Allez, vas-y! Je suis fatigué de me battre contre vous, les dieux! Il est grand temps que cela finisse! Allez, petit bout de chou! Montre ce dont tu es capable! Va au bout de ta haine! Qu'est-ce que tu attends? Ta tour va tomber de toute façon et tu ne peux rien y faire! Les dieux barbares la briseront! J'ai gagné!

L'enfant plissa les yeux de colère et serra les dents. Avant de disparaître, il lança la dernière plaie d'Enki, celle qui était réservée à l'élu. L'enfant-dieu prononça lentement ces mots, en appuyant sur chacune des syllabes:

– Va en enfer!

Au même moment, la tour s'effondra en emportant dans sa chute le corps déchiré d'Amos Daragon.

19
La destruction de la tour

La légende du disque des dieux barbares était bien vraie. Cet objet sacré portait en lui la magie divine des cultes anciens et la force occulte d'appeler les premières divinités. Dès qu'il se brisa sur le plancher de la tour d'El-Bab, l'esprit des Trois commença à se matérialiser.

Ce fut Brontês le cyclope, un terrible titan sauvage à l'allure monstrueuse, qui apparut le premier sur terre. Dans un coup de tonnerre qui fit une première fois trembler le pays, le gigantesque monstre tomba des nuages et atterrit avec fracas à quelques lieues de la tour. Avide de violence, il hurla en se frappant la poitrine comme un gorille en colère. Brontês n'avait qu'une idée en tête : récupérer la pierre rose du disque ! La créature caressa doucement sa longue corne frontale placée juste en haut de son œil et, de ses longues pattes poilues de bouc, commença à avancer agressivement vers la tour.

Nessus le centaure se matérialisa au cœur d'une montagne non loin d'El-Bab et la fit exploser en mille morceaux. La terre trembla alors une deuxième fois. Ce cheval colossal à la tête et au torse humains semblait animé d'une colère incontrôlable. Son regard perçant vit Brontês qui s'avançait d'un pas rapide vers la tour. Ah non ! Le cyclope n'aurait pas la pierre rose avant lui ! À ce jeu, Nessus était le meilleur et il s'élança au galop vers la tour afin d'y arriver le premier.

Minotaure lui-même, un titan à la tête de taureau, prit forme dans un cyclone tout près du centaure. Lorsqu'il vit décamper Nessus à toutes jambes vers la tour, son cri de rage fit trembler une troisième fois toute la contrée. Lui aussi voulait la pierre rose et ses adversaires avaient déjà de l'avance sur lui ! La monstrueuse créature s'élança à pleine vitesse aux trousses de son rival. Dans la foulée, il aplatit tout un troupeau de moutons sans s'en rendre compte !

À la vue de ces trois gigantesques monstres, la population autour d'El-Bab entra dans un mouvement de panique sans pareil. Cris et hurlements présidèrent à l'évacuation rapide de la cité. Les habitants n'avaient plus qu'une idée en tête: FUIR! Une frayeur extrême, violente et incontrôlable s'était emparée de tout le monde, même des plus sages. Dans la fuite désordonnée, bon nombre de vieillards, de femmes et d'enfants furent piétinés à mort par la foule en délire. De nombreux malchanceux furent aussi écrasés par les titans dont les pas de géant étaient impossibles à prévoir.

De son côté, Sartigan eut tout juste le temps de retrouver Frilla et de sortir de la ville avec elle avant que les dieux barbares incarnés n'atteignent la tour et ne commencent à la frapper de leurs puissants poings.

D'énormes pierres provenant d'El-Bab volèrent de tous les côtés alors que Nessus, Brontês et Minotaure s'efforçaient de retrouver la pierre rose. Quel excitant jeu que cette divine compétition!

La véritable histoire du disque des dieux barbares était en fait très simple et très loin d'être mystique. Le cyclope, le minotaure et le centaure avaient inventé ce divertissement afin de briser la monotonie de leur existence divine. Il s'agissait d'une grande compétition dont l'objectif était de retrouver le plus rapidement possible la pierre de lumière une fois son disque protecteur brisé. Ils avaient dissimulé sur terre exactement dix de ces étranges assiettes et attendaient, chacun dans leur coin, qu'une maladresse humaine ou humanoïde lance la compétition. Ce jeu durait depuis des milliers d'années et comblait ses participants de bonheur.

Le pointage était de trois pour Nessus, un pour Brôntes et deux pour Minotaure. Ce septième disque brisé constituait une chance exceptionnelle pour le cyclope de marquer un autre point et de rester dans la course. Il n'avait pas fait très bonne figure jusque-là et il comptait bien se reprendre ! Il ne restait que trois autres disques à être brisés avant la fin du jeu, et Nessus ne devait en aucun cas marquer aujourd'hui. Si le centaure trouvait la pierre en premier, son avance au pointage serait alors insurmontable et le jeu perdrait tout son intérêt.

C'est donc avec frénésie que les dieux barbares détruisirent complètement la tour. La pierre rose avait marqué magiquement sa position par une trace luminescente juste avant de s'éteindre définitivement. Pour les titans, tenter de trouver cette pierre équivalait à chercher une aiguille dans une botte de foin. Ils s'amusèrent comme des enfants à frapper, détruire, pulvériser et anéantir la gigantesque tour d'El-Bab. Ce n'est qu'après une heure de démolition frénétique et d'ardentes recherches que Minotaure mit enfin la main sur la pierre. Le titan leva les bras au ciel et hurla sa joie! Il venait de marquer un point et cela le plaçait à égalité avec le centaure.

Dépité, Brontês disparut dans un nuage de poussière en hurlant sa frustration. Nessus, lui aussi contrarié, félicita le gagnant en lui assenant un terrible coup de poing sur la tête! Dans une grande bourrasque de vent, le centaure et le minotaure se dématérialisèrent ensemble.

Ce que les hommes avaient mis des années à construire, les dieux avaient à peine pris une heure pour le démolir.

Anciennement, le pays de Sumer et les contrées de Dur-Sarrukin étaient de grands territoires remplis de villes et de villages, de bergers et de moutons, de belles forêts gorgées d'arbres fruitiers et de rivières sablonneuses parfaites pour la baignade. Aujourd'hui, dix jours seulement après le début de la colère d'Enki, il ne restait rien de la vie qui s'était épanouie autrefois sur ces terres et rien du travail et des efforts de ces gens.

De la dignité, du talent et de la puissance du peuple sumérien, il ne restait plus maintenant que quelques milliers de nomades estomaqués par la destruction d'El-Bab et incapables d'envisager un avenir pour leurs enfants.

20
Les décombres

Pendant près d'un mois après l'effondrement de la tour d'El-Bab, les compagnons
d'Amos fouillèrent les décombres pour
retrouver son corps. Le porteur de masques
s'était volatilisé sans laisser de traces !

Béorf, rongé par la culpabilité de l'avoir
abandonné, versait souvent quelques larmes
en cherchant les restes de son ami. Lolya
était complètement brisée, mais réconfortait
quand même plusieurs fois par jour Frilla
qui était au désespoir. Sartigan était soudainement devenu très silencieux, et Médousa
errait çà et là, en quête d'improbables
indices.

Amos disparu, Minho était maintenant
libre de sa promesse et il quitta les adolescents
pour retourner dans son pays. Il les étreignit

chaleureusement et, sans se retourner, sa silhouette s'évanouit à l'horizon.

– ICI! J'AI QUELQUE CHOSE! annonça Béorf.

Tout le groupe se réunit autour de l'hommanimal.

– Regardez! continua le gros garçon. J'ai retrouvé son sac, ses oreilles de cristal et son livre.

– Mais… mais… s'inquiéta Lolya. Il n'y a rien d'autre, tu es certain? Son corps n'est pas là, enterré quelque part autour?

– Non, confessa Béorf. Il n'y a rien… C'est tout ce que j'ai trouvé de lui…

– Si nous n'avons pas trouvé son corps, dit Lolya, optimiste, c'est qu'il est encore vivant! Cherchons! Cherchons encore!

– Non… dit soudainement Frilla. Il ne sert à rien de chercher, il n'est plus ici! L'acharnement ne nous mènera à rien et nos bonnes intentions ne ressusciteront pas mon enfant. Nous allons préparer nos affaires et quitter ces décombres. Tout est fini.

Devant la justesse de ce constat, les trois adolescents tombèrent les uns dans les bras des autres. Béorf, pleurant comme une madeleine, prononça avec souffrance:

– Amos… Amos est… il est mort.

Lexique mythologique

LES DIEUX

Enki: Dans la mythologie sumérienne, il est le dieu de l'Abîme, de la Sagesse, des Eaux douces, dieu de la Magie et des Incantations et de l'Océan. Aussi appelé Abzu, il pourvoit les rivières de poissons, règle les mouvements de la mer, appelle les vents, crée la charrue, le joug, les champs, la pioche et le moule à briques, remplit la plaine de vie animale et végétale et bâtit les étables.

Seth: Dans la mythologie égyptienne, il est le dieu de l'Obscurité et du Mal. Les Égyptiens l'associaient au désert et le représentaient souvent sous la forme d'une créature imaginaire ou d'un homme à tête de monstre. Il est aussi associé au crocodile, à l'hippopotame et aux animaux du désert.

Titans : Ils sont, dans les mythes de la Grèce antique, les enfants d'Ouranos et de Gaia. Ces premiers habitants du ciel sont appelés : Océan, Coeos, Crios, Hypérion, Japet, Cronos, Téthys, Théia, Thémis, Mnémosyne, Phoebé et Rhéa. Ils se révoltèrent contre leur père et régnèrent un temps sur le monde avant d'être à leur tour renversés par Zeus.

Zaria-Zarenitsa : Dans la mythologie slave, elle est la déesse du Matin et la sœur de Koupalnitsa, déesse de la Nuit, de Pouloudnitsa, déesse du Jour, et de Vetchorka, déesse du Soir.

CRÉATURES MYTHOLOGIQUES

Cyclopes : Les cyclopes sont des êtres fabuleux pourvus d'un unique œil au centre du front. Ils sont présents dans de nombreuses légendes gréco-latines. L'un des plus célèbres cyclopes porte le nom de Brontês, qui signifie « tonnerre ». Il fut rescapé du Tartare par Zeus et tué par Apollon.

Centaures : Les centaures sont des monstres de la mythologie gréco-latine arborant un torse humain sur un corps de cheval. Ils vivaient dans les forêts de Thessalie et se nourrissaient de chair crue. Leurs mœurs brutales de même que leur amour immodéré pour le vin et les femmes les rendaient redoutables aux mortels. Nessus fut étouffé par Hercule.

Gorgones : Les gorgones sont des créatures de la mythologie grecque. Dans les légendes, elles habitent les régions sèches et montagneuses de la Libye. À l'origine, elles étaient trois sœurs : Sthéno, Euryalé et Méduse. Seule Méduse, la plus célèbre des gorgones, était mortelle. Persée lui a coupé la tête.

Minotaure : Monstre hideux des légendes grecques, il possède un corps d'homme et une tête de taureau. Minotaure naquit de l'amour irrésistible de la reine Pasiphaé pour un taureau blanc. C'est Thésée, avec l'aide d'Ariane, qui tua Minotaure.

Pelleteur de nuages : Ce personnage est une création de l'auteur. Son nom vient d'une expression québécoise qui signifie « rêveur ». Les poètes sont des « pelleteurs de nuages ».

NOTE DE L'AUTEUR

Le virus d'Enki : Le virus qu'envoie Enki sur le monde est inspiré d'une véritable maladie qui se nomme fièvre d'Ebola. Il s'agit de l'un des virus les plus pathogènes chez l'homme, car il provoque une fièvre hémorragique mortelle dans cinquante-deux à quatre-vingt-huit pour cent des cas. Le virus attaque l'ensemble des tissus du corps humain, sauf les muscles moteurs et les os. La fièvre hémorragique est très destructrice, car elle transforme les organes humains en «bouillie».